WALT DISNEY's

Skarb
kaczorów

MegaGiga: tom 39
© Disney 2013. © for the Polish edition by Egmont Polska Sp. z o.o.,
Warszawa 2013, Wydawnictwo: Egmont Polska Sp. z o.o., ul. Dzielna 60,
01-029 Warszawa, tel. (22) 838-41-00, www.egmont.pl
Redaktor prowadzący: Artur Skura
Tłumaczenie: Jacek Drewnowski, Aleksandra Bałucka-Grimaldi
DTP: Stop!Studio; Korekta: Iwona Krakowiak, Joanna Romaniuk
Druk: Nørhaven, Dania; Produkcja: Cezary Wolski
Sprzedaż reklam: beata.michalak@egmont.pl.

Spis treści

Skarb kaczorów

Kto nie chciałby odnaleźć ukrytego skarbu? Donald!
On zawsze woli siedzieć w domu. Za to Sknerus
gotowy jest na wszystko, by jeszcze bardziej się
wzbogacić! Na pewno nie pozwoli swojemu
najtańszemu pracownikowi zostać w domu...

Usiądź wygodnie w fotelu i... przygotuj
się na 500 stron fantastycznej zabawy!

KACZOR DONALD
i ostra złotaczka

Scenariusz: Rodolfo Cimino, rysunki: Romano Scarpa i Giorgio Cavazzano

Chlip! Skarbonka jest pusta! Żałośnie, niezaprzeczalnie pusta!

Chłopaki, dajcie mi zestaw opatrunkowy! Idę prosić o pożyczkę wujka Sknerusa!

Aha... czyli potrzebujesz pieniędzy, tak? Powinienem ci pomóc, bo jesteśmy krewnymi, tak?

Dokładnie, wujku, dokładnie!

Nikt bardziej ode mnie nie ceni sobie więzów krwi! Chętnie bym ci pomógł, ale akurat dzisiaj nie mogę! Popatrz na tabliczkę!

DZIŚ NIE UDZIELA SIĘ POŻYCZEK – JUTRO TAK

Hm... jutro tak! Dobrze, wujku! Wpadnę jutro!

Do widzenia, kochany!

Lecz nazajutrz...

Ekhm... jak widzisz, tabliczka się nie zmieniła! Dzień dzisiejszy, sam przyznasz, jest nadal dniem dzisiejszym! Wróć jutro!

DZIŚ NIE UDZIELA SIĘ POŻYCZEK – JUTRO TAK

Jej!

To oszustwo, podłość! Nie można tak nabierać potrzebującego krewnego!

Paragraf, odprowadź pana do drzwi, bardzo proszę!

Precz! I prędko mi się tu nie pokazuj! Mógłbyś sobie zrobić poważną krzywdę!

Oj!

DZIŚ NIE UDZIELA SIĘ POŻYCZEK – JUTRO TAK

10

Otwierać! Otwierać!!!

Chlip... wujek Sknerus na pewno wyjechał! Skarbiec jest pusty... umrę z głodu!

Mija noc. Rankiem daleko nad morzem widać hydroplan Sknerusa...

...a siostrzeńcy denerwują się, że wujek Donald nie wrócił!

Wujek nie wrócił wczoraj wieczorem! Martwię się, musimy go poszukać!

Skarbiec nie odpowiadał! Wujek Sknerus pewnie jest w podróży służbowej... zapytam sekretarza!

Tak, szef wyjechał! Nie, nie powiedział dokąd! Nie, nie wiem, jak się z nim skontaktować!

Wysiłki Hyzia, Dyzia i Zyzia w celu odnalezienia Donalda nic nie dały. Po paru dniach...

Są jakieś wieści, panie oficerze?

Żadnych! Wygląda na to, że wasz wujek rozpłynął się w powietrzu!

Wujek Donald, wychodząc z domu, powiedział, że pójdzie do skarbca wujka Sknerusa...

Czyli powinniśmy znaleźć jakiś ślad koło skarbca!

Zobaczcie! Tu leżą jakieś kawałki drewna!

Nie widzę żadnego związku między zniknięciem wujka a tymi kawałkami!

Nie zgadzam się! Spójrzcie na okno! Tam w górze też są kawałki drewna!

Jak pamiętacie, w dniu zniknięcia wujka zauważono latającego szaleńca, który, jak już sterroryzował miasto, zniknął w okolicach skarbca!

Biegiem, bracia! Myślę, że znajdziemy inne wskazówki w pracowni wujka Donalda!

12

Oto rysunki racy! Wujek jest uwięziony w skarbcu!

I...

Przykro mi, chłopcy! Wasza historia jest prawdopodobna, ale nie mogę zburzyć skarbca tylko na podstawie poszlak! Potrzebny jest nakaz sędziego!

Zgodnie z paragrafem 538/39 i następnymi, nie mogę przychylić się do waszej prośby! Aby działać, potrzeba dowodów... niezbitych dowodów! Wróćcie, jak będziecie je mieli!

Ale... panie sędzio, czas ucieka, wujek umrze z głodu!

Chlip! Umieram z głodu! Spróbuję przegryźć sztabkę, może przejdą mi skurcze!

Ble! Złoto, na który mają apetyt tłumy, nie ma żadnej wartości gastronomicznej!

Wciąż mijają długie dni! Wreszcie hydroplan Sknerusa znów pojawia się nad niebem Kaczogrodu...

13

Wreszcie, wreszcie! Tyle się na ciebie naczekaliśmy!

Oj! Chyba nie będą mnie prosić o pieniądze na lody?

Szybko, szoferze, szybko! Moje złoto... to znaczy... mój siostrzeniec jest w niebezpieczeństwie!

A, tu jesteś?! ...Przeszła ci ochota na podstępne wdzieranie się do cudzych nieruchomości?

Biedny wujek!

Biedny wujek?!! Raczej biedny Sknerus! Ten kanibal pożarł moje złoto!

Hej, dokąd to?

Do szpitala, wujku!

Stać, Donald musi najpierw oddać to, co mi zabrał!

Nie wyjdzie stąd, zanim nie odda uprowadzonego kawałka sztabki!

ŁUP

Jesteś bez serca, wujku! Nie widzisz, w jakim jest stanie?

A nie widzicie, w jakim ja jestem stanie po tej niepowetowanej stracie?

Już my cię doprowadzimy do porządku! A teraz szybko dzwoń po lekarza!

I...

Hm... puls słaby... zgaszone spojrzenie... powiedziałbym, że pacjent połknął złoto...

Tryb przypuszczający jest niepotrzebny! Ten pirat rzeczywiście pożarł pół sztabki szczerego złota!

Ach... teraz wszystko jasne!

Donald cierpi na ostrą formę złotaczki! Leczenie jest proste – polega na trzymaniu pacjenta z dala od złota przyjajmniej przez sześć miesięcy...

Spędził zbyt dużo czasu w kontakcie ze złotem, co spowodowało silną formę alergii!

Obecność cennego kruszca pogłębiłaby tylko stan chorobowy! Na ciele chorego pokazałyby się wielkie, złote plamy!

Podsumowując, doktorze... Donald stał się złotoczuły, racja??

Dokładnie! Właśnie dlatego należy go odtruć!

Hm... złotoczuły?!

Chyba odzyskam moją część sztabki... naturalnie z odsetkami!

Spokojnie, chłopcy! Zajmę się rekonwalescencją Donalda! Zabiorę go ze sobą w długą, zdrową podróż!

Wiecie, jest mi żal! Potraktowałem waszego wujka zbyt surowo! Chcę to jakoś naprawić!

Hura, wujku Donaldzie! Pojedziesz w podróż!

Wujek Sknerus zabierze cię nad południowe morza! Wrócisz wyleczony!

I tak, pewnego ranka, hydroplan kaczora megamiliardera wyrusza z rekonwalescentem na pokładzie...

Halo, biuro poszukiwań na wyspie Piripipakko? Zwolnić wszystkich poszukiwaczy! Będę na miejscu z tanim, niezawodnym poszukiwaczem!

Nie, nie chodzi o nową maszynę, tylko o mojego siostrzeńca Donalda! Nie ma takiej żyły złota, która umknie jego... ekhm... wrażliwości!

Zwolniłem poszukiwaczy, ale proszę mnie oświecić... ten jegomość miałby ich zastąpić?

Jasne! Za parę godzin dowiemy się, czy na wyspie jest złoto, czy nie!

Odpoczywaj spokojnie! Świeże nocne powietrze dobrze ci zrobi!

Dzięki, wujaszku!

Che, che! Za parę godzin obejrzę Donalda! Jeśli pojawią się czerwone plamy, zaczniemy poszukiwania!

Hm... niczego nie widzę! Nie jest dobrze!

Nic... zupełnie nic... prych!

Pobudkaaa! Zdradliwy pasożyt! Nie utrzymuję cię, żeby płacić za twoje bezsensowne spanie!

Zbieramy rzeczy i wyruszamy!

? ! ?

Musimy zbadać inne wyspy, zanim wyzdrowiejesz!

Chlip!

Niebawem widać kolejną wyspę...

Prych! Donald jest na miejscu od ośmiu godzin! Pierwsze objawy powinny się już pokazać!

18

Jak się czujesz, siostrzeńcu?

Doskonale, wujku! Czuję, że szybko wrócę do siebie!

Zobaczmy, żadnych plam, nawet kropeczki...

?

Do samolotu, biegiem! Nie waż się wyzdrowieć, zanim nie znajdziesz przynajmniej jednego złoża! Jesteś moim dłużnikiem, nie zapominaj o tym!

Po kolejnych bezowocnych próbach hydroplan zmierza ku posiadłościom Sknerusa na Alasce...

ALASKA

Będziesz spał na zewnątrz! Musisz wychwycić każdy potencjalny symptom złota! Nie zniosę przeszkód między twoją chorobą a złotem!

Ale... to nie wyspy południowych mórz! Tu jest zimno!

Niestety, protesty na nic się nie zdały! Podczas gdy Sknerus McKwacz chrapie w dobrze ogrzanej chatce...

19

...Donald jest zmuszony spędzić noc na mrozie...

Blisko świtu...

Jeśli tym razem ten próżniak nie będzie miał czerwonych plamek, zmajstruję mu sine!

Jak się czujesz dziś rano, siostrzeńcu?? Żadnych oznak złotoczułych?

Ech! Jestem tak skostniały, że nie czuję nawet zimna!

O nieba! Plamki! Złotoczułe plamki!!!

?

Hura! O radości!

Chlip!

Halo, złotonośna centrala McKwacz! Wyślijcie natychmiast dwie ekipy górników... tak... tak... koparki też!

Parę godzin później...

Nadeszła godzina prawdy, Donaldzie! Oby wszystko poszło dobrze!

Grudki, panie Sknerusie! Grudki czystego złota!

Och, cóż za słodka muzyka!

I tak zaczyna się okres intensywnego wykorzystywania złotoczułych właściwości Donalda...

Następne plamy! Rosną w mgnieniu oka!!! Brygadzisto, brygadzisto!!! Kopcie tutaj... szybko!

Proszę wybaczyć, panie Sknerus! Przyglądałem się pracy pańskiego... powiedzmy... konsultanta! Wyniki są oszałamiające, nie przeczę! Pozwolę sobie jednak doradzić ostrożność...

...choroba, gdyż o chorobę chodzi, mogłaby się pogłębić! Naraża pan swojego... ekhm... konsultanta na poważne ryzyko!

Cisza! Jeśli będą mi potrzebne pańskie rady, to o nie poproszę! Do roboty, powtarzam, do roboty!

Hm... co za płuca!

Ukazują się kolejne złoża wskazane przez Donalda, który, wleczony tam i z powrotem, wygląda coraz gorzej...

Aż wreszcie...

Halo, pobudka! Powinieneś być w pracy już od paru godzin! Przestaniesz wreszcie zbijać bąki?

A, nie odpowiadasz?! To jest rebelia, to jest bunt, to jest rewolta! Ot co!

Już ja cię pogonię!!! Rusz się wreszcie!

KOPS

Aj... aj... ajajaj!!! Rozpada mi się stopa!

23

Nie brakuje złych doradców...

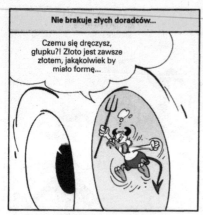

Czemu się dręczysz, głupku?! Złoto jest zawsze złotem, jakąkolwiek by miało formę...

Poza tym „posążek Donald" będzie warty co najmniej sto tysięcy dolarów! Odkąd to Sknerus McKwacz miewa wątpliwości co do przeznaczenia stu tysięcy dolarów?!

...zamknij swojego złotego siostrzeńca w sejfie! No już, zapomnij o skrupułach!

Wstyd, Sknerusie, wstyd!!! Dotąd zawsze uczciwie zarabiałeś swoje pieniądze...

...chyba nie splamisz się akurat teraz, jako stary miliarder, porwaniem siostrzeńca?

Vade retro, bestio z piekła rodem!

Przesuń się, mięczaku!

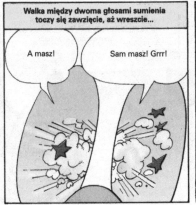

A masz!

Sam masz! Grrr!

...złe podszepty zostają
ostatecznie pokonane!

I więcej się nie pokazuj!!
Jasne?!

Chlip!

Telegrafujcie szybko do Kaczogrodu!
Przygotowałem do wylotu hydroplan! Chcę tu
natychmiast siostrzeńców i lekarza!

Baza Alaska wzywa Kaczogród,
hydroplan po was przypłynie,
bądźcie gotowi...

Wujek Sknerus wysłał po nas hydroplan!
Uprzedźcie lekarza, on też ma jechać! Chyba
coś się stało wujkowi Donaldowi!

Jak pan sądzi, doktorze?
Czy wujek Donald będzie
w ciężkim stanie?

Spokojnie, chłopcy! Wiozę
potrzebne lekarstwa!

Gadaj, Zenek! Czy to nie jest chata tego kaczora miliardera?

Fakt, widziałem niedawno tego starego na stacji radiowej! Ciekawe, czy uda nam się coś wypłacić!

Tymczasem dwa podejrzane typki zjawiają się w pobliżu domu Sknerusa McKwacza...

Pustki! Nawet nie ma butelki whisky! Stary kuternoga na pewno nie jest rozrzutny!

Ten pokoik jest jednak porządnie strzeżony! Drzwi nie puszczają!

Jazda! Wystarczy uprzejmość i siła przekonywania!

A nie mówiłem! Kaczor ukrywał w tym pokoiku skarb! Patrz... złoty posążek!

Niezły skok, kumplu! Zwijamy się!

Uff... ciężki!

Już nie mogę! Ukryjmy posążek; wrócimy po niego, jak sytuacja się uspokoi!

Ta stara jama będzie w sam raz! Schowamy posążek w środku!

Gotowe! Stopimy posąg i uzyskamy z niego pełno nieoznaczonych sztabek!

Sprzedamy je i uzyskamy z nich dolarusie!

Oho, wraca hydroplan! Ile to trwało, na Jowisza!

Nieco później... Teraz już wszystko wiecie, siostrzeńcy! Mam problem, a Donald jeszcze większy!

Chlip! Czy można czegoś spróbować?

Chodźmy obejrzeć tego Donalda! Potem zastanowię się nad leczeniem!

Jest w pokoju w chatce! Chodźcie!

W międzyczasie dwa wędrowne niedźwiedzie wprowadzają się do starej jamy...

Obecność Donalda im nie przeszkadza, a nawet uznają go za wyjątkowo...

...sympatycznego!

Nieświadomy niczego Donald ma teraz u boku dwóch zakochanych strażników!

Rety! Wydaje mi się... czy ktoś chrapie w jamie?

CHR
CHR
CHR

Jejku!

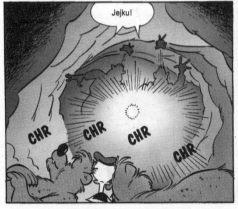

CHR CHR CHR CHR

Psyt! Zabieramy posąg i spadamy!

Tak, mały kaczorze, to my ukradliśmy posąg! Niedźwiedzie na pewno go nie oddadzą! Musicie je pokonać!

My mamy dość! Pokażemy ci grotę, a potem poprosimy szeryfa o azyl!

Dobre nowiny, wujku Sknerusie! Wiem, dokąd zabrali wujka Donalda!

Serio?

Che, che! Nie ma takiego niedźwiedzia, który wytrzyma przy moim Expresie kaliber 600!

Zastrzyk z lekarstwem antyzłotoczułym gotowy! Idziemy!

To tędy! Będziemy musieli iść parę godzin, cały czas prosto!

Kontakt z niedźwiedziami bardzo pomógł Donaldowi, który powoli odzyskuje swój normalny wygląd...

Ojoj... ale mnie boli głowa... mam wrażenie, że śnił mi się jakiś koszmar...

32

Grota!!! Przygotujcie teleskop! Przed wejściem zajrzyjmy do środka!

O! Ach! A to ci...! Niech pan spojrzy, doktorze!

O! Dobrze, dobrze! Kaczor prawie odzyskał swój normalny wygląd! Najwyraźniej pomógł mu kontakt z niedźwiedziami... może jakiś tajemniczy płyn... kto wie!!!

Wyrzuć Expres, wujku! Musimy zmienić taktykę!

Jeśli postrzelimy niedźwiedzie, mogłyby zranić Donalda, który odzyskał swoją miękką konsystencję!

Podręcznik Małych Skautów mówi, że niedźwiedzie uwielbiają kanapki z musztardą!

Nieco później...

Gotowe! Zapach kanapek wywabi niedźwiedzie poza jamę! Donald wyjdzie i wszyscy razem damy nogę!

Mniam!

Psyt! Wujku Donaldzie!!! Tutaj, szybko!!!

!

Powoli, powoli! Moje stawy są jeszcze trochę sztywne!

Odwagi, wujku! Kłopoty się skończyły!

Po paru dniach...

Puls w normie, oddech szybki, stawy takie sobie...

Odkąd opuściłeś grotę, wcale ci się nie polepszyło! Obecność tych niedźwiedzi była wielce lecznicza; a teraz, gdy są daleko, nie zrobiłeś postępów, wręcz odwrotnie!

Drogi Donaldzie, jeśli chcesz wyzdrowieć, musisz kontynuować... leczenie! Nie musisz mieszkać w grocie, lecz przez jakiś czas powinieneś trzymać się blisko tych bestii!

Donald wypełnia zalecenie lekarza...

JU – HUUU!

Ju – huuu!

I tak...

Śmiało, przyjaciele! Podróżujemy na koszt wujka Sknerusa!

...odbywa długą i pokojową rekonwalescencję na podwórku własnego domu!

Ciekaw jestem, kiedy postanowisz wyzdrowieć! Te bestie codziennie pożerają kwintale kanapek z musztardą!

Musztarda kosztuje dziesięć dolarów za kilo, do kroćset!

KONIEC

Zagadki w spadku

IS-2679-1

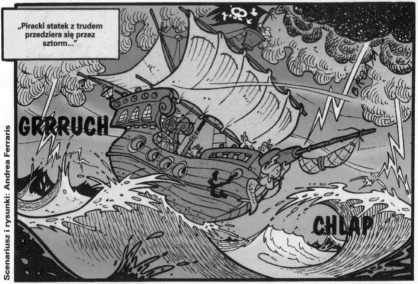

„Piracki statek z trudem przedziera się przez sztorm..."

GRRRUCH

CHLAP

Scenariusz i rysunki: Andrea Ferraris

37

Przodkowie Goofiego współpracowali z piratami? Nie chce mi się wierzyć.

O nie. Na skutek swojej... ekhem... naiwności nie odróżniali piratów i przemytników od zwykłych żeglarzy.

Wygląda na to, że piraci bardzo hojnie się odwdzięczali.

Nie wątpię.

Złote monety i cenne kamienie napełniały kieszenie pańskich przodków, którzy dzięki temu zgromadzili małą fortunę.

Wiem. Znam historię van Gufenów.

Na ścianach wiszą portrety niektórych sławnych gości.

Bob Can-Alia...

...który zniknął podczas wyprawy na ryby w pobliżu tego brzegu.

Ech! Biedny wujcio.

A ja jestem Rob Reyent, wykonawca testamentu pańskiego wujka. Przypadło mi zadanie wezwania pana do jego tawerny...

...i przekazania tej koperty. Jest pan jedynym spadkobiercą.

Hej, a co to za jedni?

Miau!

Mrrr!

To Roger i Jolly, koty pańskiego wujka, które odziedziczył pan z całą resztą.

Podoba mi się takie dobrodziejstwo inwentarza.

Co za pieszczochy!

41

43

Ale...

Nie rozumiem...

O jaki nóż może chodzić?

Żadnego tu nie widzę.

To miał być długi nóż.

Może chodzi o rapier Maruda van Gufena?

Och! Chcesz powiedzieć...

Tak! Za ramą coś jest.

Proszę. Kolejna wskazówka.

"Fasolla i wydech – to twoje zadanie, a wszystko nareszcie jasne się stanie". Fasolla?

Co ma do tego fasola? I dlaczego przez dwa „l"?

Raczej nie chodzi o fasolę. Twój wujek był bardzo precyzyjny i nie popełniłby takiego błędu.

POD PŁETWALEM BŁĘKITNYM

No dobrze, ale... „fasolla"? Co to może znaczyć?

Prawdę mówiąc, nie mam pojęcia.

Fasolla, fasolla... Fa-sol-la, fa-sol-la...

No jasne! Fa-sol-la... Fa-sol-la...

PAC

45

46

„Gdzie pół spoczywa pirackiej bandery, znajdziesz rozwiązanie, jeśli mam być szczery".

Spoczywa pół pirackiej bandery... Może w którymś pokoju?

Nie sądzę. Zauważylibyśmy.

Poza tym taka dosłowność byłaby zbyt prosta.

„To jest zagadka. Musimy pomyśleć".

W tej tawernie bywało wielu piatów.

No pewnie! Flaga piracka... Jolly Roger!

Na którymś portrecie?

Nie, Goofy. Tak nazywają się...

...koty.

51

KONIEC

57

KACZOR DONALD

i talar
Czarnobrodego

Kupowanie używanych książek na targu jest zwykle dość dochodowe!

Na przykład za tą zapłaciłem dwa centy, a przyniesie mi...

...dwieście milionów! Cmok!

Scenariusz: Guido Martina, rysunki: Massimo de Vita

Jednak... ech... będę musiał ponieść pewne koszty na operację odzyskania!

Nie użyję mojej łodzi dalekomorskiej – za dużo pali!

Póki co nie użyję też miejskiego auta! Za dużo pije!

?

Preczl

Interesujący mnie salon musi być w tej okolicy!

59

61

...widziałem to na własne oczy!

Hm... żaglówka z osobistym silnikiem?

Ciekaw jestem, jak działa!

Niewidomy

Ja natomiast jestem ciekaw, do czego ma służyć!

Może... na weekend?

Ee! Ten stary kozioł nie wydałby dwustu dolców na weekendowe wycieczki!

Jego cel jest inny! Tylko jaki?

Aby go odkryć, wystarczy go śledzić!

Dobry pomysł! Byle z daleka!

Oczywiście! Nie możemy się mu pokazać!

63

64

Ale... dokąd iść, żeby nie natknąć się na jakiegoś wierzyciela albo, co gorsza, wujka Sknerusa?

Już mam!

Co porabiasz, Diodaku?

Testuję mój najnowszy wynalazek!

BIURO WYNALAZKÓW DIODAK

ABSOLUTNA NOWOŚĆ

WYNALAZKI SPORTOWE

Mogę zobaczyć?

Nikt ci nie broni!

Auć!

BACH

69

W piątek, około południa...

Wujku Donaldzie! Przed chwilą dzwonił wujek Sknerus!

Jej! Chcecie, żeby mi przeszła ochota na jedzenie?

Tym lepiej dla ciebie!

Chodź zobaczyć coś fajnego!

?

Popatrz na lodówkę – pusta jak pustynia na Saharze!

Jej! I co teraz?

Pójdziemy do wujka Sknerusa! Oczekuje nas!

Czego chce ode mnie ten stary despota?

Zaprosił nas, żebyśmy spędzili weekend nad morzem!

Odmawiam! Morze jest zanieczyszczone!

Ale przynajmniej moglibyśmy sobie zrobić zapas ryb!

Stanowczo odmawiam! Nigdy!

Nie możesz odmówić!

Wujek Sknerus powiedział, że wycieczka jest za darmo!

I nawet nam obiecał nagrodę w dolarach!

Tfu! Te wszystkie obietnice zajeżdżają pracą!

Nie bądź pesymistą! Zrób nam przyjemność!

Prosimy!

Pliiiz!

Nie odmawiaj!

Bądź kaczorem!

Błagam!

Dosyć!

Dobra, jedziemy! Ale jeśli w ten weekend będę musiał pracować, macie przekichane!

Gdzie na nas czeka ten dręczyciel?

Przed salonem żeglarskim!

71

Dobrze! A teraz ruchy i do pchania!

Pchania czego?

Siostrzeńcu! Morze jest z drugiej strony miasta!

Dlatego musicie przepchać tam łódź!

Hej! Widzę, że się nie rozumiemy!

Co to za żarty!

To nie żart! Kwaczę serio! Trzeba zaprowadzić łódź aż na plażę!

Odmawiam!

A jeśli wypłacę ci dychę, będziesz dalej odmawiał?

Zależy!

Hm... robię to tylko dla ciebie!

Dawaj kasiorę!

Brawo, siostrzeńcu! Doceniam dobrą wolę!

Zatem wszyscy na pokład! Wy też, chłopaki!

My też?

Jaki ten wujek kochany! Sam się będzie męczył!

Hm...

Posuńcie się!

Uch! Jeśli ty też wsiądziesz, kto będzie pchał?

...spoczywa na dnie jego galeon „Zemsta"!

To prawda – galeon Czarnobrodego nazywał się „Zemsta"!

A podczas ostatniej podróży ten galeon przewoził skarb Czarnobrodego!

Juhuuu! Talary! Dublony!

Che! Che! Dolary! Funty! Cekiny!

No i co, siostrzeńcze? Wciąż odmawiasz?

Tylko coś ustalmy! Była mowa o podziale!

Naturalnie! Podzielimy się po równo!

Zgoda!

82

Zanim uprzedzę wujka Sknerusa, rzucę badawczym okiem!

Ten oszust na pewno wymyślił jakiś niesprawiedliwy podział! Dlatego, jak tylko znajdę kufer...

Hmm... co za marnotrawstwo metalowych prętów! Ciekawe, do czego służyły!

„...Czarnobrody wymyślał przeróżne sposoby, jak chronić swoje łupy..."

Spryciarz! Zupełnie jak wujek Sknerus!

Co robi ten ślamazara? Czemu się nie wynurza?

"...miał również system wybuchowych pułapek, połączonych siecią metalowych prętów!"

Hę? Wybuchowych pułapek?!

"...jeśli ktokolwiek potknął się o pręty..."

Jeeej! Trzeba ostrzec wujka Donalda!

Wujku Donaldzieee! Niebezpieczeństwooo! Uwaga na prętyyy!

Groźba wybuchu!

Uch! Co to znaczy?

BUUUM

O nie!

Aaa!

Aj!

CHLAP

Wujku Donaldzie! Co się stało? Czyżbyś...

Uch... potknąłem się o metalowy pręt i...

Ty niezdarny siostrzeńcze! Umiesz się tylko potykać!

Klik!

PLASK

No i co? Znalazłeś przynajmniej kufer ze skarbem?

Skarbem? Hmm... nie zauważyłem!

Uch! Czym sobie zasłużyłem na takiego siostrzeńca...

Hę?

Jej!

BUUM BUUM BUUM

Pierwszy wybuch sprowokował całą serię kolejnych eksplozji!

BUUM

BUUM

BUUM

Mój kufer!

Poprawka – nasz kufer!

Hm... jak na kufer pełen dukatów wydaje się dziwnie lekki!

Szybko, ślamazaro! Znajdź jakieś narzędzie, żeby sforsować zamek!

Donald stara się znaleźć odpowiednie narzędzie, podczas gdy siostrzeńcy, którzy wszystko zrozumieli, spokojnie obserwują kufer...

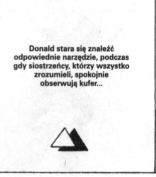

Żegnajcie, siostrzeńcy! Zatopię w otchłani otchłań mego bólu!

Co za komediant!

No dobra, czemu mnie nie powstrzymujecie?

A zatapiaj sobie do woli, jeśli chcesz! Jesteś dorosły!

Dzisiejsza młodzież, ech! Zamiast więzi rodzinnych – znajomi na kwakbuku!

O czym myślisz, wujku Donaldzie?

Szukam odpowiedzi na całą masę pytań!

Przede wszystkim – dlaczego Kwakerfeller wpadł na nas tak nagle?

Płynął za nami łodzią podwodną!

Ale dlaczego nas śledził? Skąd znał nasz kurs?

Kto wie!

A teraz kwaczcie – widzieliście kiedykolwiek łódź podwodną zakotwiczoną u wybrzeży Kaczogrodu?

Nigdy!

No dobrze, a więc gdzie Kwakerfeller trzyma swoją?

Czy ten talar jest naprawdę cenny?

Jeśli Sknerus tak się starał go odzyskać, musi być bardzo cenny!

Mogę zobaczyć?

Hm... nie sądzę, żeby ten talar był talarem!

A to czemu?

Po obu stronach są wyryte dziwne rysunki!

E tam! To mnie nie interesuje!

Wujku Donaldzie!

Oj! Dajcie mi rękę!

Siostrzeńcu łazęgo! Co robiłeś w wodzie?

Zapytaj mnie lepiej, co tam znalazłem!

Czyżbyś znalazł mój talar?

Nie! To coś! Było przyklejone do stępki łodzi za pomocą przyssawki!

Oto odpowiedź na twoje pytanie, wujku Donaldzie! Ten generator drgań wydziela stałe promieniowanie, które Kwakerfeller widocznie odbierał z łodzi podwodnej!

I w ten sposób udawało mu się nas śledzić!

Ale brakuje odpowiedzi na inne pytanie – gdzie Kwakerfeller trzyma swoją łódź podwodną?

Później...

Jeszcze później...

Ziew! To się nazywa kolacyjka!

Biedny wujek Sknerus! Powinniśmy byli go też zaprosić! A tymczasem...

Tymczasem pogrąża się w bólu z powodu utraty... ekhm... skarbu!

Osobiście wolę pogrążyć się w miękkiej kanapie!

Czy to możliwe, że skarb Czarnobrodego to tylko jedna moneta?

W kufrze była tylko ona!

Hm... ciekaw jestem, czy nasz podręcznik mówi to samo!

Hej! Słuchajcie! „Legenda głosi, że Czarnobrody na swoim galeonie nie przewoził skarbu"...

Nieee!

Hę?

„...lecz jednego talara z żelaza, zamkniętego w kufrze!"

Och!

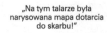

„Na tym talarze była narysowana mapa dotarcia do skarbu!"

To dlatego ten talar jest tak cenny!

Ale wujek Sknerus nie wie, że chodzi o mapę!

A teraz talar jest w rękach Kwakerfellera!

Uprzedzimy wujka Donalda, chłopaki?

Prych! Totalnie bez sensu! Wujek nie potrafiłby odebrać talara!

101

103

105

A teraz na poszukiwanie budki telefonicznej!

Jeśli się nie mylę, jedna jest dokładnie na plaży!

Parę minut później...

Zostaw tą krzyżówkę i odpowiedz na telefon!

Uch!

DRYYYŃ!

KF

Halo! Tu Sknerus McKwacz! Podajcie do telefonu tego złodzieja Kwakerfellera!

Sknerus McKwacz chce z panem rozmawiać, sir!

Czego, stary capie?

Muszę cię zmartwić, młody złodziejaszku!

Zlokalizowałem skarb Czarnobrodego! Spoczywa na dnie morza!

Bujdy na resorach! Nie wierzę!

Che! Che! Uwierzysz, jak pokażę ci po nim kufer! Do widzenia, Kwakerfeller! Odpływam, żeby go zabrać!

Uch!

Che! Che! Myślał, że mnie zmartwi! A tymczasem...

...niedługo z przyjemnością zdmuchnę mu skarb sprzed dzioba! Szybko! Wszyscy na pokład!

Dokąd płyniemy, panie Kwakerfeller?

110

111

113

115

116

117

118

119

Sen złoty

Hura! Znalazłem skarb!

Jejku! Co za bogactwa.

Chodźcie do mnie, kochaniutkie.

Ech! Szef znowu lunatykuje. Mam dosyć. Jutro wpłacę oszczędności do banku.

Scenariusz: Carlo Panaro, rysunki: Paolo de Lorenzi

KONIEC

DAISY

Daisy i nabici w butelkę

WALT DISNEY

M.541

Kochany pamiętniczku, dzisiaj z przyjaciółmi postanowiliśmy wykroić nieco złośliwy kawał!

Chodzi o to, że mamy już powyżej dziobów przyglądania się, jak Goguś ma fuksa! I dlatego...

Ja i wasz wujek Sknerus przygotowaliśmy genialny plan, jak zażartować sobie z Gogusia!

Beznadziejna sprawa, ciociu Daisy!

Marzenia ściętego dzioba!

Nie tym razem! Wiele osób jest z nami! Chodźcie zobaczyć!

Scenariusz: Romano Scarpa, rysunki: Romano Scarpa i Giorgio Cavazzano

Żeby dotrzeć do tego prawdziwego skarbu osmali sobie piórka!

Hę?...

Che, che! Rozłożyłem wskazówki w niebezpiecznych miejscach!

Wkrótce siostrzeńcy zarzucili przynętę, na którą miała się złapać nasza ofiara!

Dobra, teraz!

Ej, co dzisiaj mi przyniesie wiatr?

Gratisowy bilet na darmowe losowanie „Poszukiwanie skarbu tropików" Adres na odwrocie.

Widzę skłębione chmury na horyzoncie! Biegnie co sił w płetwach!

Zaczekajcie na mnieee! Ja muszę zagrać!

Wszyscy gotowi do wejścia w role!

Tak!

Co?!?

Kto?!?

To tutaj wygrywa się skarb tropików?

Goguś?!? Skąd się o tym dowiedział?

Jak on zagra, to my nie będziemy mieli żadnych szans!

Lepiej od razu sobie pójść!

Nieźle udają! Teraz ja!

Rozbijesz naszą grę! Proszę cię, Gogusiu...

Jak widzę do wygrania jest pewna butelka! Zatem...

...okażę wspaniałomyślność! Pozwolę wszystkim spróbować przede mną! Nie spieszy mi się!

Ach! Całe szczęście!

Dzięki!

Wszyscy wylosowali jedną albo więcej butelek, oczywiście niczego nie wygrywając – wiedzieli, która butelka zostanie dla Gogusia!

Moja kolej! Ta jest ostatnia, więc naturalnie skarb będzie mój! Che, che!

Wylosujcie butelkę

Z tobą nie sposób wygrać, Gogusiu! Masz tu zwycięską butelkę! Ech!

Wylosujcie butelkę

No jasne! Jest piłeczka!

A w niej pierwsza wskazówka!

„Szukaj następnego etapu w skarbonce pani Elwiry Zadymowskiej, ul. Podpuchy 33"!

Wystarczy tam pójść!

Trudnawe... dla kogoś, kto nie nazywa się Goguś!

Szybko, Donaldzie! Nie chcę przegapić tego, jak Goguś będzie miał pecha!

Oj, będzie!

Pani Zadymowska to babsztyl o ciężkiej łapie i przewodnicząca Kasy Drobnego Oszczędzania!

Ale fuks! Pani Zadymowskiej nie ma w pobliżu! Rozbiję skarbonkę!

Hop! Teraz pozostaje mi tylko wyciągnąć bilecik!

Uuu! Jeśli to straszna kobieta...

Masz to jak w banku! Biedny Goguś! Teraz mu się dostanie!

Iiii!... Czarny skorpion!

Rety! Nie zauważyłem jej!

128

129

Załatwi go potrójne oświetlenie!

Kręć!

PLUSK

Krem nawilżający

Ekstra pomysł, którego szukałem dla naszego produktu – skok w piękno!

Nie wiem, kim jesteś ani czego szukasz, ale wiem, że to była współpraca przez duże W! Proszę bardzo!

...i jeszcze dezodorant, jeśli można!

Udało mu się!

Ma kupę kasy!

Ostatni etap: pracownia słynnego projektanta, ulica Szmalu 11!

Nie mogliśmy w to uwierzyć! Może nam się przewidziało! Poszliśmy za Gogusiem pod ostatni adres!

Potrzebuję prawego dolnego guzika z modelu Kazimiera!

Pracownia mody

131

132

Ciekawe, co to będzie za wspaniały skarb?... Rubin... perła... wysadzana kamieniami kol...

Co?... Tylko tyle?!? Guma do żucia?!?

Oszuści!

Ja też wiem, że guma jest skarbem tropików! Ale to jest robienie w konia! Nabijanie w butelkę, ot co!

Akurat wy! Chyba nie zachce wam się znowu nabierać mnie na wasze konkursy i wygłupy, co?

Zdobył plik banknotów od pani Zadymowskiej, firmy Kosmetyki, pracowni mody i zamiast nam podziękować... ech!

Tak, drogi pamiętniczku, ja i Donald postanowiliśmy już więcej nie współpracować z fortuną Gogusia!

KONIEC

133

Scenariusz i rysunki: Ezio Borciani, Lucio Leoni i Manuela Negrin

I/P 192 B

"O niewierny, który gromadzisz swoje skarby, zostaw wszystko i szukaj skarbu skarbów".

"Podążaj drogą oznaczoną na mapie..."

„...która zaprowadzi cię w miejsce, w którym skarb pojawi się z pustki..."

„...i wszelkie bogactwa, jakich tylko zapragniesz".

139

A zatem...

Ciekawe, bardzo ciekawe...

No więc?

Pergamin jest autentyczny...

Och!

I opisuje z grubsza trasę w Mongolii...

To miejsce, Ałaszan, to pustynia Gobi.

Oj, musi tam być gorąco...

Nie, Gobi to strasznie zimna pustynia.

Ach, tak?...

143

Ciekawe, w którym miejscu wylądowałem.

Zmierzam w dobrym kierunku!

Dotarłem do Równiny Przedrzeźniaczy.

Ciekawe, skąd wzięła się ta nazwa...

Ta nazwa? Skąd? Skąd?

Och!

147

149

151

Nieważne, gdzie jesteś, ale jak się tu dostałeś!

E...

Teraz odpoczywaj, potem pogadamy.

Mniam!

Obrzydliwość!

Już mi lepiej, dziękuję.

Cieszę się, młodzieńcze.

A teraz mów, co cię tutaj sprowadza.

No cóż...

Muszę odkryć tajemnicę skarbu, który pochodzi z pustki.

Hmm...

153

155

157

Przeszedłeś nie tylko próbę podróży, ale i pustelnika.

Jej! To znaczy, że ty...

Tak! Jestem strażnikiem skarbu pustki.

Pokazałeś swoje poświęcenie, skromność i siłę woli.

Że niby jak?

Nie protestując, kiedy cię prosiłem o wykonanie prac.

Ach!

Chciwiec i egoista dawno wyruszyłby na poszukiwanie sekretu.

Ty natomiast zostałeś, by pomóc staruszkowi w drobiazgach.

Spójrz przez judasza, a ujrzysz dwie możliwe przyszłości.

„W jednej znajdziesz bogactwo… i samotność".

„W drugiej niewiele pieniędzy, za to dużo uczuć".

Wybierz to, w co wierzysz.

Ale… samotność?

Oczywiście! Wybór skarbu jest… trudny. Możesz wszystko stracić.

Oj!

161

Pustelniku!

Tak?

Co tam, kaczorku?

Podjąłem decyzję.

Już?!

Tak! Wybieram uczucia.

Hmm... I rezygnujesz ze skarbu?

Nie jest tak ważny jak siostrzeńcy i inni moi bliscy.

Brawo! Przeszedłeś ostatnią próbę!

Jak to?

Pokazałeś, że znasz skarb pochodzący z pustki.

Ja?

163

165

MYSZKA MIKI

Zagubiony skarb Leonarda

Wkrótce potem w gmachu opery...

Witam, moje nazwisko Baravelli. Jak wiecie, jesteście wszyscy finalistami konkursu „Śpiewać nie każdy może". Niech więc wygra najlepszy!

Wasz śpiew ocenię ja sam. Nie traćmy czasu. Zaczynamy!

Jej, przecież ci profesjonaliści zmiażdżą Gooffiego!

Zaczynają się finały...

Miiiooo-iiiooo-iiioo!

Maaakaaaroooniii!

Uaaauaaauaaa!

Pom-pom-pom-tuuu-uuut!

Jej, co to w ogóle jest?! Te porykiwania są okropne...

Baravelli wygląda na niewzruszonego... No cóż, poczekajmy na występ Goofiego...

171

175

Pięćset lat temu? Jej, da Vinci był naprawdę niezły!

Podobno nikt nie wie, czy udało mu się wprowadzić w czyn swoje plany. I chyba nigdy się tego nie dowiemy...

Tak czy inaczej, to geniusz! Wyprzedził swoją epokę o kilka wieków!

Co za umysł! Da Vinci jest moim nowym idolem!

Ej, ty!

Tym razem mi nie uciekniesz!

O nie! To napastnik z ciemnej uliczki! Nadal mnie ściga! Co za typ!

179

Wkrótce...

Goofy? Bavarelli?

To nie jest śmieszne... Nikogo tu nie ma!

To musi być studio Bavarelliego. Też nikogo nie ma! Ciekawe, co to za stary papirus na biurku...

To jakieś dziwaczne pismo! Coś mi przypomina...

Wiedziałem! Trzeba je odczytać od tyłu! Tak jak zapiski Leo...

Daj to!

SZAST!

Baravelli! Co zrobiłeś z Goofym?

Jest tuż obok, mały szpiegu.

Drzemie sobie wyczerpany długimi próbami.

Chrrr...!

A ten pergamin?

Nie udawaj. Już się domyśliłeś, czyje to pismo.

Strona z zaginionego tomu należącego do samego Mistrza!

Leonarda da Vinci!

Spryciarz z ciebie, myszonie. Ale czy udało ci się odkryć mój drugi sekret?

Nie jestem w nastroju do żartów, Bavarelli!

Żaden Bavarelli! Moje prawdziwe nazwisko to Ciciolini. Jestem głównym inspektorem Departamentu Antyków.

Nadal nic nie rozumiem…

Wszystko ci wyjaśnię. Od lat szukam legendarnego zaginionego tomu Mistrza.

Długo to trwało, ale w końcu udało mi się znaleźć jedną stronę!

Opisuje ona, w jaki sposób Leonardo wpadł na swój najwspanialszy pomysł! Niestety, nie wiadomo, co wynalazł tym razem…

Wiadomo jedynie, że ukrył swoje dzieło gdzieś tutaj, w Wenecji. Chciał pewnego dnia pokazać je światu.

Niestety, nigdy mu się to nie udało.

A co to ma wspólnego z Goofym?

Leonardo napisał, że bramę do jego odkrycia mogą otworzyć jedynie pewne pseudo-muzyczne wibracje.

Widzisz? Tutaj zapisał nuty.

Dlatego wymyśliłem, że będę profesorem Baravellim. Musiałem znaleźć wyjątkowego śpiewaka.

Rozumiem! Głos Goofiego ma odpowiednie wibracje!

Tak! Twój przyjaciel jest kluczem do wszystkiego.

A teraz czas działać!

Wstawaj, Goofy! Z twoją pomocą znajdziemy skarb Leonarda!

Co?

185

187

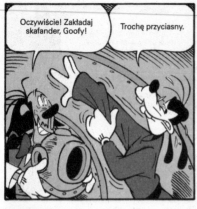

193

Dobra, zajmę się tym później. Teraz zabieram moje błyskotki!

Ciciolini! Co ty robisz?

Nie rozumiesz? Nie jestem inspektorem Ciciolinim! To ja, Bugsy, handlarz starzyzną!

A te kamyki ustawią mnie do końca życia. Żegnajcie, naiwniaczki!

FLOP!

Grr! Ten łotr nędznie nas wykorzystał! Normalnie podniósł mi ciśnienie!

Chodź, Goofy! Nie z nami te numery!

Lecę, Miki!

196

To jeszcze nie koniec! Zgubię was w uliczkach Wenecji!

Może mu się udać... Zna miasto jak własną kieszeń.

Pospieszmy się!

Ale ślamazary! Jestem wolny! Wolny!

Wcale nie.

Jesteś aresztowany, Bugsy.

Co?!

Śledził mnie pan przez cały czas! Kim pan jest?

Jestem prawdziwym inspektorem Ciciolinim z Departamentu Antyków.

Prowadzę sprawę Bugsy'ego od tygodni. Próbowałem was przed nim ostrzec.

Ale kiedy zacząłeś uciekać, pomyślałem, że z nim spiskujesz.

Oszukał nas, inspektorze! Przysięgam!

A w dodatku ma kieszenie pełne klejnotów ukradzionych z podwodnej piwnicy Leonarda.

Klejnotów, tak? Oddawaj je, Bugsy!

No dobrze, proszę...

Ech... Morska woda zmieniła je w pastę. To fałszywki.

Fałszywki? Ale w piwnicy Leonarda nie widzieliśmy niczego innego, kiedy...

Kiedy włączyliśmy światło! Och!

Bugsy już siedzi za kratkami, a reszta...

Niesamowite! To jest to?

Tak, podziemny skarbiec Leonarda. Tak, jak go zastaliśmy.

Światło się dalej pali i w ogóle.

Nie rozumiem. Bez klejnotów skarbiec jest pusty!

Czyżby Mistrz postanowił jednak nie chować skarbu?

Nie, skarb cały czas tu jest.

Maestro wpadł na wspaniały pomysł! Zbudował nawet jeden prototyp. Ale nie zdecydował się ujawnić go światu.

Spójrzcie, co wisi na suficie! Stara bateria domowej roboty – podłączona do żarówki!

WALT DISNEY — WUJEK SKNERUS

Magiczna lampa

Scenariusz: Sergio Tulipano, rysunki: Salvatore Deiana

LEGENDY ORIENTU

I/T 2058 E

205

Oceniłbym stan, sprawdził rok i miejsce wydania... a potem zacząłem je segregować i katalogować...

Spodziewałem się tego. Dobra odpowiedź.

Chodź. Coś ci pokażę.

?

Kosztowna metoda, którą zaproponowałeś, jest właściwa, ale zwykle stosuje się ją do książek o dużej wartości.

KRIK

KRIK

Jak widzisz, moja bezcenna kolekcja rzadkich woluminów jest od dawna poukładana.

Och!

207

Mniej więcej. Co proponujesz zrobić po przeczytaniu czegoś takiego?

No... tego... myślę...

...że powinniśmy odstawić tę książkę i zająć się też innymi...

Nic z tych rzeczy.

W baśniach i legendach często kryje się ziarno prawdy. Ta lampa może naprawdę istnieć.

O tyle rzeczy mógłbym poprosić dżina...

Czyli chcesz... poszukać tej lampy?

Oczywiście. A wiesz, jaki będzie nasz pierwszy ruch?

Hmm... Może...

BAM

...poszukamy dalszych informacji w bibliotece uniwersyteckiej?

Nie. Szkoda czasu i pieniędzy.

Lepiej, szybciej i taniej będzie sprawdzić w „Poradniku Młodego Skauta".

Ale siostrzeńcy są w szkole.

Dobrze. Poczekamy na nich w domu, a ty przygotujesz coś do jedzenia.

Aha...

Później...

Cześć, chłopcy.

Cześć, wujaszku! Co tu robisz?

Powiem wam. Przyszedł po darmowy posiłek i radę.

Grrr!

Nie słuchajcie go. Przynieście swój „Poradnik" i chodźcie do stołu.

Jau!

ŁACH

A zatem...

Znalazłem opis lampy, która cię interesuje. Wygląda na to, że mieszkający w niej dżin różni się od innych.

Naprawdę? A to czemu?

SIORB MLASK

Dżin z lampy Aladyna stawał się sługą tego, kto go uwolnił. Spełniał trzy życzenia.

A dżin z tej lampy jest dość... niezależny i pozwala tylko na jedno życzenie.

Później wraca do środka, a lampa znika.

I gdzie się podziewa?

Pojawia się w jakimś innym miejscu i czeka, aż znów ktoś ją znajdzie i wywoła dżina.

Hmm...

A nie napisali, w której części świata może się teraz znajdować lampa?

Nie. Od dawna nie ma o niej wieści.

Phi!

Doszedłeś do jakiegoś wniosku, mądralo?

Tak. Cała ta historia to bujda na resorach.

Może i tak. Ale niewykluczone, że z biegiem czasu o legendzie zapomniano...

...i że dziś nikomu już nie przychodzi do głowy pocieranie znalezionych lamp.

Tak. To możliwe.

Wyobrażasz sobie? A jeśli ta lampa leży na jakimś straganie?

Ojć! Chyba nie chcesz...

...przeszukać wszystkich targów świata? Pewnie, że nie. Życia by nie starczyło.

Całe szczęście.

Ale znam kogoś, kto może nam pomóc w poszukiwaniach. W drogę.

Ech!

A zatem...

Mogę wiedzieć, dokąd lecimy?

Znaleźć emira Kefira.

A kto to?

Kolega multimiliarder.

Zajmuje się także eksportem bliskowschodnich pamiątek...

...które wiele osób trzyma w domach.

Rozumiem. A gdzie mieszka ten emir?

Kefir! Jak miło cię widzieć.

Sknerus! Co cię sprowadza w te strony?

Interesuje mnie kupno kilku lamp, takich jak ta z baśni o Aladynie.

Rozumiem.

CHRUP   MLASK

Jak wiesz, jestem głównym dystrybutorem podobnych rzeczy. Sprzedaję ich masę na całym świecie.

Hmm... Sprawa się komplikuje.

A czemu te lampy tak cię interesują?

No... tego...

Ciekawe, co wymyśli.

Chcę zbudować park rozrywki w klimacie baśni tysiąca i jednej nocy...

Dobra myśl.

Oczywiście, do sprzedaży wprowadzę też klasyczne pamiątki z najsłynniejszych baśni.

Che, che! Umiesz połączyć pożyteczne z pożytecznym.

Ale niepotrzebnie tu przyjechałeś.

Kwa! Czemu?

Bo właśnie w Kaczogrodzie mam jednego z głównych sprzedawców. To wielki znawca branży, który może ci coś doradzić.

Że co?!

Mogłem ci powiedzieć przez telefon, żebyś zwrócił się prosto do niego.

Chi, chi!

A ty cicho!

Hmm... Przypomniało mi się związane z nim dziwne zdarzenie.

?

Wczoraj dostał skrzynię z pięćdziesięcioma lampami...

I co?!

215

Zadzwonił, żeby mi podziękować. W skrzyni była jedna dodatkowa lampa i uznał, że to prezent.

!

Mój dział spedycji nigdy nie popełniał błędów. A dobrze wiesz, że nie mam w zwyczaju dawać prezentów.

Tak. Rozumiem i popieram.

Dobra, musimy iść. Interesy w Kaczogrodzie wzywają.

?

Szczęśliwej podróży i do zobaczenia!

Skąd ten nagły pośpiech?

Nie słyszałeś, co mówił emir?

Słyszałem. Przez przypadek wysłał o jedną lampę za dużo.

To nie był przypadek.

Emir jest skąp... ekhem... oszczędny jak ja. Nie toleruje błędów i jego podwładni dobrze o tym wiedzą.

No i co?

WRRRUM

Nie rozumiesz? Pewnie dżin spełnił właśnie czyjeś życzenie w jakimś zakątku świata...

...a jego lampa znikła i pojawiła się w skrzyni zmierzającej do Kaczogrodu.

Masz rację!

PSTRYK

Myślisz, że przyciągnęły ją inne lampy?

Nie wiem i mnie to nie obchodzi. Ważne, że wiemy, gdzie się znajduje.

Mieliśmy sporo szczęścia.

Tak. Ale musimy się pospieszyć, zanim szczęście nas opuści.

PIIISK

Musimy się jak najszybciej skontaktować z kaczogrodzkim sprzedawcą lamp.

Wiesz, kto to?

PIIISK

Tak. W mieście jest tylko jeden sklep z takimi rzeczami.

WRRRUM

Wkrótce...

To tutaj.

Zobacz. Część lamp jest już na wystawie.

ARTYKUŁY ORIENTALNE

PIIISK

Dzień dobry. Czym mogę służyć?

Chciałbym kupić lampy przysłane przez emira Kefira.

Ale... skąd pan wie...

Emir to mój przyjaciel.

A, w takim razie dam panu promocyjną cenę.

Się wie. Zwłaszcza że chcę je kupić hurtem.

Po długich negocjacjach...

Proszę. Nie dam ani centa więcej.

Ziiip! Zgoda.

Idziemy.

Czekaj. Muszę jeszcze wziąć te z wystawy.

Uff! Puff!

Odpuść. Wśród nich na pewno nie ma tej, której szukamy.

Hyyp! Skąd wiesz?

Przed wystawieniem na pewno je wypolerowano, nie? Dżin musiałby się ukazać.

No tak. Na to nie wpadłem.

WRRRUM

219

224

Proszę się nie fatygować.

Właśnie. Nawet jej nie widać. Zatrzymamy lampę.

Co takiego?

Nasz sklep stara się, żeby klienci zawsze dostawali towar najwyższej jakości.

Jak byśmy wyglądali, gdyby kupiec później odkrył defekt.

Niby racja...

Dobra. Pójdziemy już. Do widzenia.

Do widzenia. Dziękujemy.

Jacyś dziwni.

Trochę nachalni, ale mili.

227

No, mów. Czego sobie życzysz?

Ekhem... No... Muszę się zastanowić. Zaskoczyłeś mnie.

Spokojnie, wujku. Nie ma pośpiechu. Zastanów się.

Tak, tak. Masz rację.

Chcę mieć trochę spokoju, żeby się skupić.

Dobrze. Skoro to jest twoje życzenie...

?!

...zaraz je spełnię.

PSTRYK

Hej! Ale co...

229

KONIEC

Niezbyt ciche usługi

KJD 004-1

Scenariusz i rysunki: William van Horn

Wujek Donald od sześciu tygodni coś robi w garażu.

Sądząc po dźwiękach, coś buduje.

PRECZ!

Nie pozwala nikomu wejść i twierdzi, że to tajny projekt.

Akurat... Całymi dniami słychać tylko rakietę tenisową...

No cóż, jak skończy, na pewno nam powie.

I faktycznie: następnego ranka...

Wstawajcie, chłopaki! Dziś zarobimy fortunę!

Naprawdę? Chyba nie obrabujemy banku?

Nasze kominiarki są w pralni...

A w tym tygodniu nie przypada żaden spadek...

Bardzo śmieszne, ale nic z tych rzeczy. Zarobimy fortunę na morzu. A w zasadzie pod jego powierzchnią.

Pod powierzchnią?

Leżą tam miliardy dolarów. Czemu nie mielibyśmy ich znaleźć?

Podać ci co najmniej dwa powody, wujku Donaldzie?

Musielibyśmy wiedzieć, gdzie szukać.

Słucham.

Już się tym zająłem. Zaznaczyłem miejsca, gdzie kiedyś utonęły statki. Teraz wystarczy tylko przeszukać dno w pobliżu.

No właśnie! To jest drugi powód: czym masz zamiar to zrobić?

Ocean to nie basenik!

Będziesz potrzebował... O nie, myślicie o tym samym co ja?

To znaczy o rakiecie tenisowej?

Chodźcie za mną, chłopcy, i nacieszcie oczęta!

Nasza własna ultralekka miniłódź podwodna. Ma wszystko: zapas powietrza, reflektor, laser, bomby głębinowe, radio i linę.

Ojej! Ale czy ona naprawdę działa?

No jasne! W końcu sam ją zbudowałem!

I tak...

Najbezpieczniej będzie sprawdzić ją w płytkiej wodzie. Zatopię pojemniki balastowe.

Och! Łódź wypełnia się wodą! Zapomniałem doczepić pojemniki balastowe!

Szybki sposób na dotarcie do celu, wujku.

Bez biletu powrotnego.

Odpowiednie poprawki
zostały wprowadzone.
Donald jest gotowy
na przyjęcie swoich
milionów.

O, tutaj jest.

Wujek bawi się
w najlepsze.

Ta maszyna ma grację
sprzedawcy starych
samochodów z Syberii!
Zaraz zobaczymy, co
naprawdę potrafi!

Co to jest? Sieci na ryby?!

Ciekawe, gdzie się podział
wujek.

Zaraz włączę radio
i się dowiem.

Nie trzeba.
Wiem, gdzie
jest.

OCH!

UCH!

EJ!

Dobrze, że mam bieg wsteczny! Dobra, bierzemy się do pracy.

Nasi sąsiedzi zrobili się nerwowi.

Udawajmy niewinnych turystów.

A pod wodą...

Według mapy powinien być tu gdzieś zatopiony wrak...

O! Jest! To kufer pełen skarbów albo nie nazywam się Donald!

Uczepił się rafy. Muszę go złapać hakiem i uwolnić.

Ten skarb jest ciężki jak Fort Knox! Mógłbym pewnie kupić za niego całą Brazylię i pół Florydy!

Zniszczę kawałek rafy laserem.

Najpierw go naładuję...

I jedziemy!

Auć!

Co tam się dzieje?

Uważaj, gdzie celujesz laserem, wujku!

Przepraszam, chłopaki! Znalazłem ogromny skarb w kufrze i próbuję go wydobyć.

Tylko uważaj, żebyś po drodze nie usmażył nam kuprów.

Donald zabiera się do pracy laserem, ale wolno mu idzie...

W ten sposób nigdy nie zostanę bogaty. Ale bomba głębinowa powinna rozwiązać problem.

No pięknie! Prosto w rafę! Zaraz kufer będzie mój!

Teraz szybko na powierzchnię, zanim... Ouć! Lepiej uprzedzę chłopców...

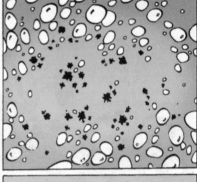

Wycofajcie się trochę, chłopcy. Wypuściłem bombę głębinową.

Naprawdę?

Niewypowiedziane bogactwo tkwi mi tu pod nosem, a ja nie mogę go nawet ruszyć!

Donald się nie poddaje i znów zaczepia hak...

Ta rafa sama się o to prosi. Mam jeszcze trzy bomby głębinowe i nie zawaham się ich użyć!

Wycofajcie się, chłopcy! Za dwie minuty będzie małe zamieszanie.

Szybko, uciekamy!

No dobrze, bomby spuszczone, czas odpłynąć.

Ale biedny Donald zapomniał odczepić hak... Więc zamiast odpłynąć...

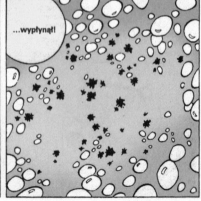

...wypłynął!

238

A z nim kufer.

Chyba dwie bomby by wystarczyły.

Mam nadzieję, że wujek nie będzie już kombinował.

Zdaje się, że ma już dosyć na dziś.

Donald może ma dość, ale ocean szykuje małą niespodziankę...

Co znowu?

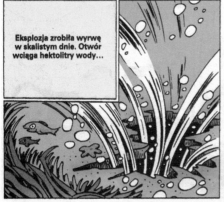

Eksplozja zrobiła wyrwę w skalistym dnie. Otwór wciąga hektolitry wody...

Można się domyślić, co będzie dalej...

Nie, nie chcę tego oglądać...

Hej-hop!

Przemoknięci
i wściekli rybacy
wchodzą na
pokład...

To wszyscy, Hyziu! Dodaj
gazu!

Nam się udało, ale
rybackie łodzie miały
mniej szczęścia...

Wir się już chyba
uspokoił...

Nie wiem, jak wam
dziękować, chłopcy.
Uratowaliście nam życie!

A z tym kaczorkiem w łódce
podwodnej policzymy
się później.

Może być
tego pewien!

241

Wkrótce...

Panowie, proszę o spokój! Wasze straty to pikuś w porównaniu z zawartością tego wspaniałego kufra.

Bowiem ja, zaledwie drobną cząstką tegoż złota, wynagrodzę wam wszelkie krzywdy!

Niech gaduła otworzy tę skrzynkę!

Wujku, w środku są same kamienie!

Kamienie?!

Tak! I stary pergamin.

Witaj, piracie! Złoto jest na innym statku, ale zachowaj sobie kamyczki na pamiątkę.

Pozdrawiam, Kapitan

Nieco później...

Mógłbyś złożyć apelację, wujku...

Już to zrobiłem. Ale sędziowie uwielbiają łowić ryby...

WIĘZIENIE DLA DŁUŻNIKÓW

KONIEC

Scenariusz: Augusto Macchetto, rysunki: Guido Scala

WALT DISNEY **MYSZKA MIKI**

Skarb Sierra Padre

Byliście kiedyś w Tampoco? Nie ma tam nic ciekawego. A miejscowi po dziś dzień opowiadają o dwóch typkach, którzy trafili tam w poszukiwaniu fortuny...

Los dla pana, *señor*? Pół losu? Ćwierć...

Nie. Nie chcę nawet jednej dziesiątej.

243

Jedna dwudziesta losu za jedną dwudziestą peso.

No dobrze. Wezmę, przekonałeś mnie.

Dziękuję, *señor*.

Oj! Muszę wrzucić coś na ząb, i to szybko.

BURK

Przepraszam, czy...

O nie. Wystarczy już tych losów.

Chciałem tylko o coś spytać. Szukam jakiejś restauracji.

Aha.

BURK

W takim razie możemy zjeść coś razem.

Che, che! Mam nadzieję, że nie jest tu drogo. Mam tylko jedno peso.

POSADA

Musi wystarczyć. Gospodarzu, poprosimy kanapki pękate jak twój portfel.

Czyli... bez niczego.

TORTILLAS

Chrup! Co sprowadziło pana do Tampoco?

Własne nogi. Ale może mówmy sobie na „ty"?

No jasne. Nazywam się Miki.

A ja El Gufi, zapalony włóczykij.

Z kolacją sobie poradziliśmy... ale gdzie będziemy nocować?

Znam wyśnione miejsce... i to gratis.

Ekhem... Dobrze się czujesz, *amigo*?

Ważne, że one się dobrze czują. Ale nie martwcie się, zrozumiecie. Wszystko w swoim czasie.

„A teraz pora już iść..."

Hmm... *Gringos*, osły i worki... Co ty na to, Pedro?

Ja na to: jutro rano.

256

257

260

261

A zatem...

Ale wyżerka.

Uch!

Ech! Szkoda, że nie lubicie grochu. Musimy zmienić menu.

Bez wątpienia. Od tej pory możemy jeść jak bogacze.

Żyzna ziemia, duże plony, każdy wcina, jak szalony!

Ale sporo tutaj zostanie.

To będzie nasz zapas. Może się jeszcze przydać.

Zamknijmy worki i jazda. Daleka droga, przed nami.

Tak. I mamy co chronić.

Uff! Nareszcie się wyśpię.

Mnie to mówisz?

Tylko nie przesadźcie.

Nasi trzej *amigos* po długim marszu poszli spać. Do Tampoco mają już dość blisko...

Co miał na myśli?

Hmm... Zaufanie dobra rzecz, ale lepiej czuwać.

Będę miał się na baczności. Coś mi w nim nie pasuje.

Che, che! Szykują się do snu... ale będą spać źle i krótko.

Faktycznie, następnego ranka...

Cha, cha! Tak myślałem. Podejrzewali mnie, więc nie spali całą noc, a teraz chrapią.

♪♫♪♫♪

Mój sygnał cichej ucieczki na pewno ich nie obudzi.

WIUUU

WIUUU

Trochę mi przykro. To mili goście. Ale biznes nie zna sentymentów.

Później...

Uch! A, to wiatr.

WIUUU

ADIÓS, AMIGOS!

To musi być żart. Na pewno.

Mam się śmiać?

264

? Ale... to ziemia...

Czerwona, bezużyteczna ziemia. Grrr!

TAMPOCO

Zobacz. Ta czerwona chmura nic ci nie przypomina?

Niestety. Co tam robi nasza ziemia?

Wkrótce...

Wybaczcie, przyjaciele. Wstydzę się tego, co zrobiłem.

Phi! Tak jakby w czymś to pomogło.

Znowu jesteśmy spłukani.

Ech!

I jeszcze bolą nas nogi.

Och!
Co za ulga.

I co za niespodzianka! Ziemia!

Hura!

Musiała się nasypać do butów podczas kopania.

Ha! Wystarczy, żeby w kilka chwil wyrósł sad.

Możemy sfinansować nową wyprawę.

Tym razem was nie zawiodę, słowo.

Ale skończył nam się groch.

Nie ma problemu. Wróćmy do sklepu, w którym go kupiliśmy. Na pewno da nam na kredyt.

Niezła myśl. Możemy dla odmiany wziąć też jakieś zboże.

Właśnie! Więcej różnorodności. Sałata, szpinak, ziemniaki...

Grrr! Nic nie kiełkuje.

Czemu? Czemu?

Hmm... Widzę tylko jedno wyjaśnienie.

To groch był szczególny, a nie ziemia.

Ach!

Och!

Chcesz powiedzieć, że gdyby jeden z groszków wypadł nam podczas jazdy, gdziekolwiek...

...wszystko jedno, na jakiej ziemi...

...szybko by wykiełkował. No właśnie.

271

KACZOR DONALD

i hamak szczęścia

Pewnego spokojnego, wiosennego popołudnia...

CHR...

PSSS

Scenariusz: Mario Volta, rysunki: Paolo Mottura

D-1900

277

Jak wiecie, w każdą wiosnę idę na strych, żeby sprawdzić, czy jakiś stary przedmiot może mi się znowu przydać! I tak dziś rano wpadł mi w rękę...

...stary dziennik podróży, którego nigdy nie czytałem! Napisał go nasz przodek...

„...niejaki Sknerus McLeń".

„...gdzie życie płynęło spokojnie, a spanie było głównym zajęciem mieszkańców!"

Chr...

Chr!

W dzienniku jest opisane dziwne i fascynujące miejsce, Dolina Snu...

Fiuuu!

„Pewnego dnia chochlik cierpiący od dawna na bezsenność przechodził tamtędy i położył się na hamaku..."

„...natychmiast zasypiając..."

CHR CHR CHR

„Spał przez cały tydzień! A gdy się obudził..."

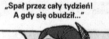

Ziew! Od lat tak się nie wyspałem! Jestem zdrowy!

Muszę się odwdzięczyć tej wspaniałej i uśmiechniętej dolinie!

Spokój i cisza! Oto, czego mi brakowało, żeby móc wypocząć!

281

A jakie były te magiczne moce?

Ktokolwiek w wyznaczony dzień zaśnie na tym hamaku, będzie miał sen o wspaniałych skarbach i miejscu, gdzie je znaleźć!

Bogactwa miały zagwarantować na długo dobrobyt i wiele drzemek mieszkańcom doliny!

Minęły prawie trzy wieki i za parę dni hamak znów odzyska magiczną moc!

A ty potrafisz go odnaleźć?

282

I to ma być nasz... brrr... helikopter?

Tyle na ciebie wydaję, że muszę zaoszczędzić!

Później...

Według mapy dolina powinna znajdować się zaraz za tym wzgórzem!

Che, che! Już się nie mogę doczekać, żeby ją zobaczyć!

ZGRZYT

PUFF

Jej!

Zamiast doliny...

...jest jezioro!

A przecież miejsce jest właściwe! Czyżby przodek się pomylił?

Nie! Oto wyjaśnienie! W zeszłym wieku powódź zalała całą dolinę!

Na szczęście ludzie uciekli znacznie wcześniej!

Z braku pieniędzy dolina nigdy nie została osuszona.

285

Chlip! Żegnaj, hamaku skarbu!

Dlaczego, wujku! Jest jeszcze jedna możliwość!

To znaczy?

Kup dolinę i przeprowadź melioracją!

WRRR

Dobry pomysł! Najpierw jednak trzeba sprawdzić, czy hamak wciąż tam jest!

WRRR

Racja! I wiem, kto to zrobi!

Kto, wujaszku?

Zgadnij?

291

Wiele zasysań później...

Oooch!

Hamaku, mój hamaczku! Wreszcie cię zobaczę!

Jest! Jest!

Ja cię! Już go znalazł!

W rekordowym tempie!

Pewnego dnia wykorzystam siłę napędową jego nóg w którymś z moich wynalazków!

No dobra, będę spał! Ale macie mnie zostawić samego! Wasza obecność by rozproszyłaby mnie i nie mógłbym zasnąć!

Nic podobnego! Musisz się porządnie wyspać! Zostawimy cię samiuteńkiego!

Zanim jednak odejdziemy, chcę ci coś zostawić!

Proszę! Dzięki temu będziemy w kontakcie!

Super!

Gdybyś czegoś potrzebował, zadzwo... ekhm... zawołaj nas przez radio, Donaldzie!

Dobra! Tylko wy mnie nie wołajcie! Nie znoszę, jak się mnie budzi!

Zaczyna się! Hamak błyszczy! Szybko, Donaldzie! Wskakuj!

Pa, wujku! I... kolorowych snów!

Hej! Zostwiliśmy włączoną kamerę!

Stać! Nic nie może przeszkadzać mojemu śpiochowi!

Słyszycie? Wujek jest już... w pracy!

Cha! Cha!

Chr...

Dobrze! My też możemy iść spać! Czeka nas długa noc!

Im będzie dłuższa, tym lepiej dla ciebie!

297

Nazajutrz...

Pobudka, ludzie! Wujek Donald nas wzywa!

No i co, siostrzeńcu?

Wszystko dobrze, wujaszku! Wyspałem się za wszystkie czasy!

Łał!

Mam na was tu poczekać, czy...

...czy do was dołączyć? Jej!

Szybko! Opowiedz mi swoje sny, siostrzeńcu! Wszyściuteńkie! Nawet najkrótszy!

299

Tylko że po szybkim, lecz niewielkim sukcesie...

Łał! Moneta! Moneta!

...żadne inne poszukiwania nie przynoszą owoców!

Bardzo dziwne!

Rety! Tu w dole nie ma ani śladu skarbu!

Jesteś pewien, że dokładnie zapamiętałeś sen, wujku Donaldzie?

Oczywiście! Mam tu wszystko przed oczami, jakbym go przeżywał w tej chwili!

Hej! Mam pomysł!

Może klucz do zagadki jest zamknięty tutaj!

Fakt! Kamera była cały czas włączona!

Wystarczy obejrzeć kasetę, żeby dowiedzieć się czegoś więcej!

Później w skarbcu wujka Sknerusa...

Przed państwem śpiący królewicz z lasu!

To jest film, w którym mocno wybrzmiewają efekty dźwiękowe! Cha! Cha!

Che, che!

CHR

Dosyć! Uciszcie się! Nie słyszę ani słowa!

Hej, patrzcie!

Rety! Co wujek Donald robi na ziemi?

Rozproszyliśmy się! Cofnę film!

Już! Teraz uważajcie! Przewinę w wolniejszym tempie!

CHR...

CHR...

Ał!

Uf!

PLASK

Proszę bardzo! Teraz wszystko jasne! Donald nie spał na hamaku!

Ale... ale...

Ale przecież naprawdę śniły mu się skarby!

To też da się wyjaśnić! Donald się zasugerował! Wiedział, że ma śnić o skarbach... więc o nich śnił!

Czyli wszystko, o czym śnił, było wytworem jego wyobraźni?

Nie było w tym niczego magicznego!

Tylko pierwszy sen był magiczny! Ten, który śnił przed upadkiem i który nam pozwolił znaleźć złotą monetę!

Grrr! Nie potrafisz już nawet spać!

I już nigdy nie będziesz spał!

ZIUUU

303

KONIEC

WALT DISNEY

WUJEK SKNERUS

i zagadka celtycka

Scenariusz:: Giorgio Figus, rysunki: Giorgio Cavazzano

307

ŁUBUDU

Ojoj!
Ale cięgi!

Wszystko w po-
rządku, chłopaki?

Tak! Udało
nam się wyskoczyć
przed zderzeniem!

Lekkomyślny kaczor!
Teraz musimy szukać
pomocy!

Wiele godzin
później...

Gdzie też może być
najbliższa wioska?

Mnie nie pytaj!
Nie mam pojęcia!

Patrzcie!
Coś wyłania
się z mgły!

311

Tam... spójrzcie tam! Upiór!

Ale... ale...

Rozpłynął się we mgle!

Tym lepiej!

Wyglądał zupełnie jak antyczny druid!

Druid?

Tak! Członek tajemnej kasty kapłańskiej Celtów!

Jeśli to prawda, ten człowiek powinien mieć...

...tak na oko ponad 2000 lat!

Właśnie mi świta straszliwe podejrzenie!

A jeśli z jakiegoś nieznanego powodu cofnęliśmy się w czasie?

Nie opowiadaj herezji, siostrzeńcze! Mieliśmy zwyczajnie zbiorową halucynację!

A gdy mgła znowu opadła...

Lepiej sprawdźmy, dokąd prowadzi ta ścieżka – może znajdziemy jakąś osadę!

Jednakże...

Ścieżka dawno się skończyła, a po wiosce ani śladu!

Cisza! Muszę pomyśleć!

Jeszcze nie dość myślałeś? Mam już po dziurki w dziobie chodzenia!

O nie! Nie! Nie!

Ja chodziłem o wiele dłużej, gdy poszukiwałem diamentów w...

Hę?!

Ale numer!

W życiu czegoś takiego nie widziałem!

Co to może być?

314

Od tego czasu prowadzę życie w odosobnieniu, zanurzony w moich pergaminach!

Czyli wie pan na temat Celtów więcej niż ktokolwiek inny?

Prawdopodobnie tak!

Jakiego systemu używali do wznoszenia swoich świątyń?

Niezliczeni naukowcy szukali odpowiedzi na to pytanie!

Niestety, ja też nie wiem, co wam odpowiedzieć! Sekret zaginął w czasie!

Jednak, skoro jest pan tak zainteresowany, chcę panu zdradzić pewną rzecz...

...o której wiem tylko ja!

„Podczas rzymskiej inwazji, zanim ich cywilizacja zniknęła, ostatni Celtowie schronili się w strefie mgieł..."

„...a tam, w głębi doliny, wznieśli swoje świątynie!"

STUK

STUK

STUK

Ta dolina wciąż jest nieznana!

Ale jestem pewien, że istnieje! Mam dowód!

Spójrzcie! Ten pergamin jest zniszczony i pożółkły, lecz jestem przekonany, że mówi o bajecznych rzeczach!

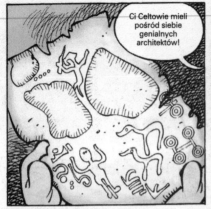

Ci Celtowie mieli pośród siebie genialnych architektów!

Hm... robi się ciekawie!

To wszystko, co wiedzą o tym ludzie, jest więc bez znaczenia...

...w porównaniu z tym, co wznieśli w tej dolinie! Ogromne budowle... tajemnicze świątynie...

...wszystkie wybudowane przy użyciu systemów znacznie przewyższających ówczesną wiedzę!

Hm! Jeśli to prawda, Celtowie mogliby wprowadzić zaawansowane procesy konstrukcji!

Być może nie najlepsze, ale bez wątpienia najtańsze! Wtedy nie używali benzyny ani prądu!

Jeśli bym je zdobył, mógłbym opatentować system i zbić kupę kasy...

...przy okazji zdobywając zasługi dla ekologii!

Na prośbę Sknerusa...

Dolina? Nie wiem dokładnie, gdzie jest!

Lecz na podstawie starych pergaminów...

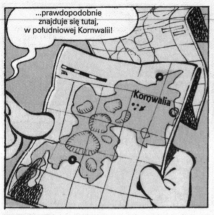

...prawdopodobnie znajduje się tutaj, w południowej Kornwalii!

Kornwalia

Ten obszar jest nieustannie spowity mgłą i oddzielony od zamieszkanych miejsc!

Nie da się jej odnaleźć nawet z lotu ptaka!

Czyli jej tajemnice wciąż pozostają nieodkryte?

Oczywiście! Nikt o tym nigdy nie mówił!

Dzięki za wszystko, przyjacielu! Nie tylko za gościnę!

A teraz idziemy!

Pewnie nie ma sensu pytać dokąd?

Najmniejszego!

I tak...

Nie do wiary! Musimy szukać tego miejsca piechotą i z byle jakim wyposażeniem!

Che! Che!

Czemu nie kazałeś sobie przysłać jakiejś wypasionej maszyny?

Żartujesz?

Nikt nie może się o tym dowiedzieć i nie mam zamiaru ryzykować, że ją zniszczę!

Twoje maszyny się nie niszczą, moje płetwy owszem!

Przestań paplać, bo jak nie...

Patrzcie na dół!

321

Dotarliśmy! Oto strefa wiecznej mgły!

Naprzód! Czuję, że dolina jest blisko!

Oby!

Wieczorem...

Błądzimy tu od rana, a doliny jak nie było tak nie ma!

Eche. Najwyraźniej nie była blisko!

Wujek Donald ma rację!

Prawdopodobieństwo jej odnalezienia jest naprawdę niewielkie!

To prawda! Jutro wrócimy do Kaczogrodu!

Następnego ranka...

Nie przypominam sobie, żebyśmy wczoraj tędy przechodzili!

Ja też nie!

Chyba się nie zgubiliśmy!

Co ty kwaczesz?

Za chwilę i tak dowiemy się, gdzie jesteśmy! Mgła opada!

Jesteśmy w dolinie!

Odpowiada opisowi Tyrilla!

Naprzód! Może jesteśmy blisko celu!

Po paru metrach...

Auuć!

ŁUP

?

To starożytna brama! Jestem pewien, że po drugiej stronie jest miasto, którego szukamy!

Ale jak ją otworzymy?

Nie ma nawet zamka!

Nie ma takich drzwi, które oparłyby się „kilofowi poszukiwacza"! Odsuńcie się!

Chyba jednak te się oprą!

BRZDĘK

Cisza, wymoczku! Zaraz się przekonamy!

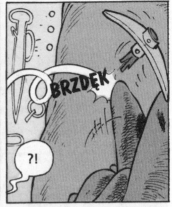

Nie wierzę własnym oczom!

Ostatnie miasto Celtów!

Wygląda na porzucone od wieków!

Te konstrukcje zdradzają niezwykły geniusz!

Racja! Nie wyglądają na typową celtycką architekturę!

Jak im się udało podnieść ten kamień?

Nie wiem, ale tego właśnie mam zamiar się dowiedzieć!

Szukajcie w każdym domu! Musimy odkryć ich sekret!

Czyli Celtowie naprawdę znali rewolucyjną metodę architektoniczną!

Wystarczy, że ją odkryję, a stanę się jeszcze bardziej bogaty!

Jakiś czas później...

Znaleźliście coś?

Zupełnie nic!

Jak to? To niemożliwe!

A przecież wszędzie szukaliśmy!

Nie do końca! Została nam jeszcze strona północna! Chodźmy tam!

329

Spójrz, wujku! To było ukryte w niszy!
Hę?
Hm... zawiera zwoje pergaminu!
Spróbujmy je otworzyć!
To plany budowy wciągnika!
Naprawdę genialne! Seria rur pod ciśnieniem wody...
...i dźwignia na mechaniczne przekładnie zębate!
Juhuuu!
Co za fuks! Mając te plany, odtworzenie wciągnika to będzie pestka!
To prawdziwe arcydzieło!
Szczyt myśli technicznej!

Wspaniale! Zlecę rozpoczęcie produkcji seryjnej.

Przyczynią się do zmniejszenia zanieczyszczenia...

...i wzrostu poziomu złota w twoim skarbcu!

Oczywiście... ale co to ma wspólnego?

Nic, nic...

Tak czy siak mam to, czego chciałem! Wracamy do domu!

Wreszcie!

Stać! Nie możemy tak sobie odejść!

Co masz na myśli?

WRUÚUM

To lawina! Ratuj się kto może!

Potem...

Teraz wejście jest ostatecznie zamknięte!

Ty niezdarny kaczorze! Wywołałeś katastrofę!

Ale, wujku, skąd on mógł wiedzieć?

To pewnie zabezpieczenie przed nieproszonymi gośćmi.

Dobrze, że nie zadziałało, kiedy byliśmy w środku!

Nie złość się, masz przecież projekt!

A, faktycznie.

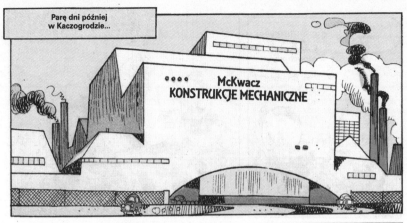

Parę dni później w Kaczogrodzie...

McKwacz KONSTRUKCJE MECHANICZNE

Chwileczkę, szefie! Znamy już te plany!

Ja... jak to?

Są praktycznie takie same jak schemat montażowy naszego ostatniego, sensacyjnego modelu!

Najwyraźniej celtycka maszyna była wytworem jednego, ogromnie inteligentnego umysłu!

Wynalazek nie został nigdy potem powtórzony...

...nawet w późniejszych epokach!

335

KONIEC

WALT DISNEY
MYSZKA MIKI

Ostatnie zdjęcie w Paryżu

Komisariat w Paryżu...

Feliks Danar? Coś mi mówi to nazwisko...

Był moim wujkiem, komisarzu. I najsłynniejszym fotografem Paryża.

J-2485-1

Wykonał portrety wielu Paryżan. Równie wielu czekało na swoją kolej, by dać się sfotografować, kiedy nagle zniknął.

Tak... To była głośna sprawa.

Scenariusz: Augusto Macchetto, rysunki: Giorgio Cavazzano

338

Spójrzcie. Koło, pierścień, romb.

Myślicie, że to wskazuje rozwiązanie?

Tak sądzę. „Koło", czyli obok. Pierścień kojarzy się ze złotem. A romb wskazuje na kształt.

Czyli o co chodzi?

Nie zauważyłeś tych złotych, geometrycznych wzorów?

Idę o zakład, że farba zawiera prawdziwe złoto.

Sprytne.

Och!

Pomyślcie tylko. Skarb tyle lat był w zasięgu ręki.

Idę po robotników.

I tak, następnego dnia...

Mam! Zdanie na ścianie mówi o ciemni.

Że co?

To pomieszczenie nie ma okien. Czyli po otwarciu pozostaje zamknięte. Chodź!

A śniadanie?

Nie teraz. Mamy pilniejsze sprawy.

Lecz...

Nic tu nie ma. Znowu się pomyliłem.

A ja znowu się nie wyspałem.

346

Gufierre, jak ci się to udało?

Zamykałem okiennice i klamka została mi w ręku.

Widzę. W ten sposób w okiennicy pojawił się otwór...

...przez który na ścianę pada odwrócony obraz ogrodu.

Zobacz tylko! Drzewo, zegar słoneczny, waza z kwiatami.

Teraz rysunki na ścianie mają sens. Widzimy miejsce, w którym ukryto skarb.

Jak to możliwe?

Tak działa *camera obscura* czyli po łacinie „ciemna komnata".

Wielu renesansowych malarzy posługiwało się tym przyrządem, by wiernie oddać rzeczywistość.

Co to, panie?

To... tajemnica.

Raczej nie przyznawali się do korzystania z tego wynalazku.

Bo ktoś by pomyślał, że nie umieją malować?

Otóż to. Wreszcie, około 1820 roku...

„...ktoś wymyślił, że wewnątrz urządzenia można umieścić światłoczułe substancje. I tak wynaleziono fotografię".

Chi, chi!

Już starczy. Cha, cha, cha!

Wiecie, jaki jest szczyt alpinizmu?

„A ta przyniosła majątek twojemu dziadkowi".

Obawiam się, że jeszcze długo będziemy szukać tego skarbu.

Idę po Serge'a. Przyda nam się pomoc.

Dobrze.

Znacznie później przy ostatniej wskazówce...

W sumie mogłem się tego spodziewać.

Ale... właściwie czego?

To szklane płytki, jakich kiedyś używało się do robienia fotografii.

To oczywiście negatywy. Wydaje mi się, że widzę tu dachy...

354

355

Te trybuny
to świetny pomysł.

Z góry wszystko
lepiej widać.

Jak ci się podoba
wystawa, Gufase?

Niesamowita. Z wrażenia
staję na rękach.

Jejku! Kuzyn akrobata
istnieje naprawdę.

357

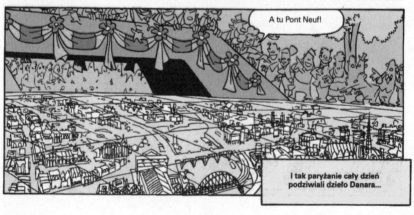

358

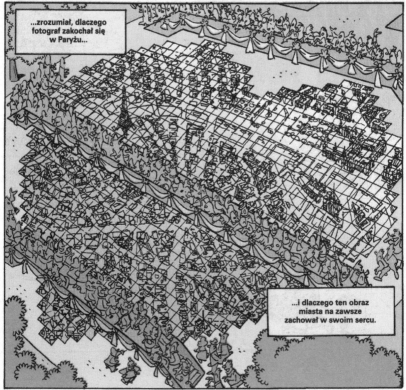

KONIEC

361

I tak... Biedny wujek płynie za chlebem do Nikwaragui.

To dziki kraj. Pełen groźnych drapieżników.

Oj! Lepiej trzymajmy za niego kciuki.

Jakiś czas później... E tam! Tym razem chyba dobrze sobie radzi.

Znowu przysłał pieniądze?

Trzydzieści talarów nikaraguańskich.

Ekstra! Tak trzymać. Wpłacimy je do banku.

Lecz... W tym miesiącu nie przysłał ani grosza.

Coś się stało?

W zamian... możemy spodziewać się większej paczki.

Och!

Po jakimś czasie... I jak tam?

Nagrywam już piątą kasetę.

Bu, błe, bu!

Profesor będzie miał dużo pracy.

Nagle...

Padam z głodu. Przynieście mi śniadanie!

Oj! Co ja robię w łóżku o tej porze?

!

Profesorze, wujek przestał bełkotać, ale nic nie pamięta.

Dobrze. Zaraz u was będę.

Tylko ani słowa o wyprawie, dopóki nie wyjaśnimy co i jak.

Później...

Proszę powtórzyć: „w Szczebrzeszynie chrząszcz brzmi w trzcinie".

W Szczebrzeszynie chrząszcz brzmi w trzcinie.

Wspaniale. Jesteś zdrów jak ryba.

Ech! Chyba miałem paskudną grypę.

Tak, tak.

Wasz wujek ma się zupełnie dobrze. Myśli, że chorował na grypę.

Nadal mamy nic nie mówić o podróży?

Ani słowa. Obserwujcie go i czekajcie, aż odzyska pamięć.

Tymczasem ja przesłucham nagrania i zastosuję debełkoter.

Przyznaję, że to bardzo interesujący przypadek.

367

Ten nicpoń Donald zabawiał się w kartografa i...

...w jakiejś dziwnej puszczy zobaczył statek.

Możliwe, że majaczy z powodu przepracowania, ale...

...za tajemniczymi doniesieniami kryją się często... wielkie bogactwa.

Dowiem się, co o tym sądzi kapitan Dryfkotwa.

TRANSPORT ZAMORSKI

Czy to możliwe, żeby statek zapuścił się w głąb nikwaraguańskiej dżungli?

Szczerze wątpię.

Do tamtego wybrzeża nie docierają żadne statki.

No chyba że ktoś zabłądził i znalazł się tam przypadkiem.

Nowoczesne systemy nawigacji wykluczają taką pomyłkę, ale dawniej mogło się to zdarzyć.

Później...

A to ciekawe. Przed wiekami po tamtych wodach pływały...

...hiszpańskie galeony wyładowane złotem!

I tak...

Witam krewniaków. Co słychać?

Daruj sobie uprzejmości. O co chodzi?

Proponuję wam udział w wyprawie śladami hiszpańskiej floty skarbów.

Pojedziemy pod warunkiem, że nam słono zapłacisz.

To oczywiste! Przygotowałem już kontrakt.

Jeden podpisik, a otrzymacie hojne wynagrodzenie.

Ojej! Założę się, że wujek nie przeczytał drobnego druczku.

Wujaszek Sknerus nigdy nie płaci za samo towarzystwo. Ciekawe, o co tym razem chodzi.

Czego właściwie szukamy w archiwum kapitanatu?

Mają tu spis galeonów, które wyruszyły do Nowego Świata.

A nie tych, które wróciły?

Właśnie nie.

Niektóre dopłynęły do celu, inne padły łupem piratów.

Wiele z nich zaginęło w odmętach dziejów.

Może nikt ich nie szukał, bo nie wiozły cennego ładunku.

Nie mam pewności.

I tak...

Czy moglibyśmy w celach naukowych przejrzeć księgi portowe?

STRAŻNIK

Po kilku godzinach...

Kwa! Chyba znalazłem.

Galeon nazywał się La Furia Roja. Przewoził żołd dla hiszpańskiego garnizonu...

...i nasiona europejskich drzew wraz z glebą. Jesiony, dęby, brzozy, sosny.

Na specjalne zamówienie córki gubernatora, która tęskniła za rodzinnym krajem.

Wymarzyła sobie, że sprowadzi na Kwaraiby swoje ulubione drzewa.

La Furia Roja nigdy nie dotarła do celu, ale chyba wiem, gdzie wylądowała.

Podczas burzy statek zapewne zboczył z kursu.

I dokąd popłynął?

Do puszczy, którą niedawno odwiedził Donald.

A skoro złoto nie dotarło do żołnierzy... pewnie nadal jest we wraku.

Co to ma do rzeczy?

Jak to co? Wyruszamy.

A wujek Donald?

Jedzie z nami. Nawet jeśli ma zaniki pamięci, przyda nam się tragarz.

Cała naprzód!

Che, che! Gnamy jak torpeda. Za dwa dni zobaczymy nasze skarby.

Lecz nagle...

BADABUUUM

Dwadzieścia dwa dni później...

Ziemia!

To na pewno brzegi Nikwaragui.

Chyba nie myślicie, że byle dzika bestia mnie powstrzyma.

Wujaszku, spokojnie. Przecież nie pokonasz całej puszczy.

A masz inny pomysł?

Możemy obserwować brzeg ze statku. Z daleka łatwiej wypatrzymy nietypowe dla tej okolicy drzewa.

Co racja, to racja.

Skombinujcie trochę płótna i miarkę krawiecką.

?

Hmm... I jeszcze dziesięć metrów liny.

?!

Przygotuj się do lotu, Donaldzie. Wyślemy cię... na zwiad lotniczy.

Kwa! Chyba żartujesz.

Pierwszy! Widzę go. Che, che! Oszczędzę na nagrodzie.

TRRRACH

KRRRACH

Rety! Drąży jak świder.

TRZASK

PRASK

Po chwili...

Chlip! Żadnego złota.

Może być niewidoczne dla oczu...

...ale mojego węchu nie da się oszukać. Niuch!

A jednak...

Już trzy dni wujaszek węszy po okolicy.

Hmm... Szuka złota, więc przegapił tę żelazną tubę.

W środku na pewno znajdziemy jakąś wskazówkę.

Otwórzmy ją.

Ooo! Wiadomość od kapitana.

Co napisał?

Dublony, zbyt ciężkie dla tragarzy, ukryliśmy w pobliskiej puszczy.

!

I wszystko jasne. Szukamy w niewłaściwym lesie. Te drzewa pochodzą zza oceanu.

Kiedy galeon tu przypłynął, w okolicy był tylko piach i błota.

Ten dziwny las wyrósł z nasion przywiezionych statkiem.

Racja!

Z góry widziałem palmy, które wyglądały bardzo wiekowo. Na pewno rosły tu w czasach tamtej wyprawy.

Pogadam z wujaszkiem.

I jak, zero złota, co?

Nie twój interes.

Przypadkiem wiem, gdzie go szukać.

Mój zbawco! Mów! Gdzie?

391

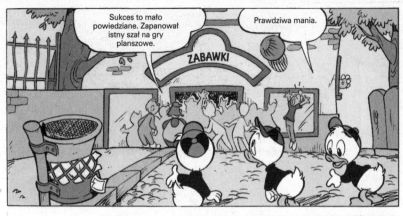

Sukces to mało powiedziane. Zapanował istny szał na gry planszowe.

Prawdziwa mania.

ZABAWKI

Tak. Wujek Sknerus trafił na żyłę złota.

Koniecznie przyjdź do mnie wieczorem pograć w planszówki.

Zgoda. Pod warunkiem, że dasz mi wygrać.

TY TEŻ...

GRAJ W MOJE GRY KOMPUTEROWE

Wujaszek zmiażdżył konkurencję.

A przy okazji pozbawił nas wycieczek.

Niedaleko...

Dosyć tego! Sięgnęliśmy dna.

I to nie tylko na grafiku, niestety.

SPRZEDAŻ GIER WIDEO

SAMO DNO

Moje gry przestały się podobać. Chlip!

SPRZEDAŻ GIER WIDEO

SAMO DNO

Musimy znaleźć rozsądną alternatywę.

Tak jakbyś nic nie powiedział.

Każdy sektor gier planszowych opanował już pański rywal...

Gdzie... gdzie znaleźć inspirację?

Tymczasem...

Fabularne, logiczne, strategiczne... Wszystkie moje gry święcą triumfy.

Zdeklasowały gry komputerowe Kwakerfellera. Trzeba to uczcić.

Na moją cześć... hip-hip hura!

Hura! Hura!

Ale kontratak był prędzej czy później nieunikniony...

?

Co takiego?!

Tym razem sytuacja jest poważna. Wasz wujek od rana ma huśtawkę nastrojów...

Fakt...

?

ZIU

Co się dzieje, wujaszku?

Kwakerfeller już parę dni temu zniknął i nie wiadomo, gdzie się podziewa.

Jeszcze narzekasz? To chyba dobrze dla twoich interesów?

Akurat interesy nigdy nie szły lepiej.

Ale jego nieusprawiedliwiona nieobecność mnie niepokoi. Nie chcę, żeby wywinął mi jakiś cwany numer.

Nawet w Klubie Miliarderów...

„...niczego się nie dowiedziałem".

Kwakerfeller? Zupełnie jakby wyparował.

Kiedy widziałem go poprzednim razem, mówił o jakiejś wyspie...

Pewnie wybrał się na wakacje. Twoje gry za bardzo dały mu się we znaki.

O wyspie?

Dalekie wyjazdy nie są w jego stylu.

Dziwna sprawa.

Ot, zagadka.

N°1

DRAP DRAP

Wyspa? Hmm... Stare książki o grach? Hmm...

UNIWERS

WYDZIAŁ HISTORII STAROŻYTNEJ I STAROŻYTNYCH HISTORYJEK

Mam dyplom z rozrywkologii niestosownej i specjalizację z teorii gier...

WME

Grrr! Streszczaj się, bo w Pińczowie dnieje.

CHRRR

No dobra. Oto mój wniosek: Kwakerfeller szuka wyspy.

No to odkryłeś Amerykę...

Ale wiem, jakiej wyspy. Wyspy Zapomnianych Gier.

Według starożytnej legendy daleką wyspą na Kwacyfiku rządził niezwykły władca.

Cały czas upływał mu na rywalizacji z poddanymi.

Uprawiali sport?

Nie. Grali. W gry planszowe.

Musiały być wciągające, bo władca...

LEGENDY O GRACH

„...nigdy się nie nudził".

Tym razem wygram. Che, che!

401

"W końcu..."

Panie...

Dosyć! Musimy grać.

Ech! Niestety.

"Musimy" to właściwe słowo.

Muszę coś wymyślić. Znajdę jakieś rozwiązanie. Hmm...

Oby nie!

I znalazł.

HISTORIA GIER

W poszukiwaniu spokoju gracze przenieśli się do jaskini.

Oczywiście było to niedostępne, niezdobyte miejsce.

Nikomu nie udało się go znaleźć.

Podobnie jak gier władcy.

Che, che! Założę się, że były nawet lepsze od twoich.

Kwa! A jeśli wpadną w łapy Kwakerfellera? Boję się o tym myśleć.

HISTORIA GIER

BACH

Nie możemy na to pozwolić. W drogę!

Chcesz szukać legendy?

Ale, wujku... Nie wiemy, dokąd jechać.

W końcu w każdej legendzie kryje się ziarno prawdy.

Zwłaszcza w tej. Tym bardziej, że... hyyp...

...ta wyspa istnieje naprawdę.

FRRR FRRR

ATLAS ŚWIATA

Patrzcie.

Och!

Nie do wiary!

Jaka dziwna wyspa.

Co to za labirynt?

Droga do jaskini. Che, che!

Hmm... Znam właściwego specjalistę.

Według legendy, żeby przejść labirynt, trzeba ruszyć głową.

To prawda. Jesteś mistrzem gry w „Kaczy labirynt".

Zaraz! To niebezpieczne, a poza tym... co ja będę z tego miał?

Zaszczyt wypróbowania zaginionych gier w pierwszej kolejności.

Cha, cha! Niezły interes.

Wujek Sknerus nigdy się nie zmieni.

408

409

411

414

415

Wnet...

Po zbadaniu sprawy i przestudiowaniu kodeksów...

...paragrafów i podpunktów...

...stwierdzam, że korzyści ekonomiczne z gier władcy może czerpać ten, kto uratował pana Kwakerfellera.

Hura! Sprawiedliwości stało się zadość!

Smacznego, mój drogi. Che, che!

Grrr! Mlask! Chrup!

Życzy pan sobie trochę soli?

MLASK

CHRUP

KONIEC

ᴡᴀʟᴛ Dısney WUJEK SKNERUS

Wiedza to do złota klucz

Ważne wieści, chłopaki.

Rozdają lody za darmo?

Rozdają wiedzę. Profesor wszech wag Rozumchłopski poprowadzi wykład.

Scenariusz: Rodolfo Cimino, rysunki: Alessandro Gottardo

Tymczasem...

Panie i panowie, w zaistniałej sytuacji i tak dalej, na dzień dzisiejszy przyszliście do świątyni wiedzy...

Wiedzy, którą profesor wszech wag Rozumchłopski zechciał się z wami podzielić.

Przez kilka godzin zaszczyci was swoją gadką. Wygląda na to, że wykład będzie jeszcze dłuższy niż broda profesora.

Szanowna publiko, zacznę od postawienia sobie pytania.

Ile cywilizacji istniało na Ziemi?

423

Skończyłem. Niech wolno mi będzie uczcić ten moment lampką wody mineralnej.

Każdemu z obecnych wyślę skrypt, a potem odwiedzę was w domu i przepytam.

Wkrótce...

Gotowe.

Co gotowe?

Uwieczniłem cię przy nieopłacalnej czynności.

I kto to mówi? Chodząca nieopłacalność.

Che, che! Pochlebiasz mi.

425

Parę dni później...

Kto tak głośno kwacze?

To pańscy siostrzeńcy.

Znaleźli wzmiankę o prastarych cywilizacjach Bykonów i Szympanidów. Najwyraźniej te kultury walczyły między sobą.

Widzę, że nauka nieźle was bawi.

Ale mnie interesują tylko cywilizacje związane ze złotem.

Szkoda czasu na wojowników. Liczą się tylko bankierzy.

Bykoni i Szympanidzi kochali nie tylko wojaczkę, ale i złoto.

Często walczyli właśnie o nie.

Tak napisano w skrypcie.

Brawo! Zanieście mi te materiały na biurko. Przestudiuję je osobiście.

Ech! Co wam strzeliło do głowy?

Zdaliśmy tylko relację z naszych wyników.

Błąd. Trzeba było ukryć przed nim wszelkie wzmianki o złocie.

Wujek się zezłościł.

To nic nowego.

Chyba ma trochę racji.

Dużo, dużo później...

Emocje już opadły.

Wujek też opadł. Na fotel.

Kwa! Chyba nie na długo.

Coś mu się poprzestawiało. Za długo ślęczał nad książkami.

MUUU

MUUU

TUDUM

TUDUM

429

Na co się tak gapicie?

N-no... tego... Fajne przebranie, wujku.

To nie przebranie, tylko trening psychologiczny. Staram się utożsamić z Bykonami.

Kiedy ślęczałem nad książkami, przyszły mi do głowy złote myśli.

Dowiedziałem się, że Bykoni rzeczywiście byli wrogami Szympanidów.

431

Zatem jeśli ostatnią batalię stoczyli na Równinie Zachodzącego Słońca...

...są tam gdzieś dwa skarby.

A ja je znajdę.

Czule zaopiekuję się całym złotem.

Żegnam szanownych współpracowników.

Że co?!

I tak...

Cztery bilety do jakiejś zapadłej dziury.

Proszę. Nie znajdzie pan lepszego... ekhm... gorszego miejsca.

Słowo harcerki.

Na pewno?

Tym razem wujaszek musi radzić sobie sam.

KLL WZLOT

WUUUM

Tymczasem...

Znalazłem tę równinę. Hura!

Wezwij siostrzeńców. Trzeba opracować plan podróży.

Chi, chi, chi!

Dobrze trafiłeś, kaczorze. Obsługuję tę linię.

Dam wam dwie beczki i trzy kozy pociągowe. Wypuśćcie je, gdy będziecie na miejscu. Same wrócą.

Niebawem...

Do czego to doszło...

TURTURTURRR

PIIISK

441

Później...

W jaki sposób znaleźliście tę równinę?

Szczęśliwy traf, wujku.

Dzielimy teren na strefy i zaczynamy poszukiwania.

Hmm... Łapcie narzędzia.

Ja szukam wśród skał.

A my?

Wy – w gorących piaskach.

446

447

Trochę później...

Te dla mnie i trzy ostatnie...

...dla Sknerusa.

Stój! Te biorę ja i chłopcy.

Powiedziałeś, że każdy dostanie dolę. Swoją już wziąłeś i to z nawiązką!

Poczekaj! Otwórz ten właz.

BAMS

Cześć! Pa, pa! Trzymajcie się.

Droga okazała się jednak długa i męcząca...

KONIEC

ᴡᴀʟᴛ ᴅɪsɴᴇʏ MYSZKA MIKI
W podziemiach Pekinu

O czym śni Miki? Cierpliwości, zaraz się dowiecie. Cała historia zaczyna się na kolejnej stronie...

Scenariusz: Giorgio Ferrari, rysunki: Franco Valussi

...w pewnym małym domku w Myszogrodzie...

Witajcie, przyjaciele!

Profesor Zapotek! Co cię sprowadza?

Wschodni wiatr. Właśnie otrzymałem list od kolegi, Czu-Jana.

Ach, to ten sympatyczny młody chiński naukowiec?

Tak. Wybieram się do Chin na wymianę kulturową. Chciałbym, żebyście pojechali ze mną.

Och! Fantastycznie!

453

Po szybkich
przygotowaniach...

W samolocie poczytamy przewodnik turystyczny.
Dowiemy się czegoś o oriencie, he, he!

Nie ma takiej potrzeby, Goofy. Naszym
przewodnikiem turystycznym będzie Czu-Jan.

Po przylocie...

Witajcie, drodzy
przyjaciele.

Czu-Jan! Jak miło cię
widzieć!

Cała przyjemność po mojej
stronie. Zapowiada się
wspaniały tydzień!

455

...relaks...

Mmm! Herbatę też macie wyśmienitą!

...trochę zakupów...

Myślę, że Klarabella jednak trochę przesadziła.

Za to ty w ogóle...

...a na koniec...

Jutro lecimy do Pekinu, stolicy Chin.

A zatem...

Ile rowerów! Nigdy w życiu tylu nie widziałam!

457

Pekin jest wspaniały, ale i ogromny! Nie zwiedzimy go na rowerach...

Nie ma takiej potrzeby. Możemy przecież pojechać metrem.

Uff! Puff! Całe szczęście!

I tak...

Metro nie jest tak zdrowe jak rower, ale na pewno szybsze i zawiezie nas dalej.

Oj! Jakiś wybuch!

Pominąwszy, oczywiście, niespodziewane wypadki...

Tak więc nasi bohaterowie zapadli w głęboki sen w podziemiach Pekinu...

461

...a Mikiemu, rzecz jasna, przyśnił się sen kostiumowy...

464

465

To jak? Zaczynamy testy?

Oczywiście! Mój asystent jest gotów do gry z automatem.

Mi-Ki-Ciang jest zdolnym szachistą, więc test będzie miarodajny...

Ale...

Ała!

Kolejne fiasko... Jak tylko zaczyna myśleć, mózg mu się rozpada na kawałki...

Ale pasztet!

A księżniczka nadal oczekuje godnego siebie przeciwnika...

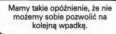

Mamy takie opóźnienie, że nie możemy sobie pozwolić na kolejną wpadkę.

Dlatego też, zanim automat będzie gotowy, zagra z nią Mi-Ki-Ciang!

Ja?!

Ale... To niemożliwe! Nie jestem szlachcicem i w ogóle...

Wiem, wiem. Ty będziesz grał...

...ale wszyscy będą myśleli, że to automat.

Co?

Mi-Ki-Ciang schowa się w automacie i będzie nim sterował.

Ale to kant! Przekręt! Oszustwo!

To jedyna szansa, by zachować twarz... to znaczy głowę!

Cóż... Czuję się przekonany!

Zabieramy się szybko do budowy pustego automatu...

Naprawdę?

Oczywiście, musi być szybko gotowy!

Hmm, będzie trudno...

Nie martw się!

Mam pomysł! Poproszę o pomoc przyjaciela, Gu-Fi-Ho!

Wspaniale!

A zatem...

Dobrze nam idzie, prawda?

Dzięki mechanizmowi luster również wnętrze wydaje się autentyczne.

A w środku kryje się Mi-Ki-Ciang.

A jak będzie przesuwał figury?

Umieszczone w środku dźwignie są połączone z ramionami robota.

Genialne!

Brawo! Świetna robota!

E tam, drobnostka.

Księżniczka będzie zachwycona!

Tak więc, mimo zbliżającej się wojny...

Oto mechaniczny człowiek, gracz w szachy!

Ciekawe, czy gra podobnie, jak wygląda. Che, che.

Ale zimno! Nie mogę się skoncentrować.

Po kilku godzinach!

Ha! Znów wygrałam!

Świetnie, księżniczko!

Ten automat gra nieźle, ale daleko mu do pierwszego miejsca.

To wersja beta...

Lepiej zabiorę go do domu i poprawię co nieco...

Kilka dni później...

Gotowe! Automat wreszcie działa!

Zagra teraz?

Jeszcze nie. Nie chcielibyśmy, żeby wpadł w ręce barbarzyńców.

Co więc zrobimy?

Ukryjemy go w tym podziemnym tunelu, aż sytuacja się uspokoi.

Jeśli wróg sforsuje bramy, ten tunel może się przydać i nam!

Gotowe! Automat jest bezpieczny.

Chciałbym móc powiedzieć to samo o nas!

I tak...

Brawo! Gra coraz lepiej.

Hmm... Tak się wydaje...

Cóż, mam już pewną wprawę...

Nagle...

Alarm!

Wróg sforsował bramy i wdarł się do miasta!

Co?

Musimy uciekać!

Nie! Muszę najpierw skończyć partię!

A zatem – szach i mat!

Ach!

477

Miki opowiada swoją przygodę...

Chwilę później...

Hmm, poczekajcie chwilę...

Czy dałoby się zburzyć tę ścianę?

Myślę, że tak... Jest już podniszczona...

Mam nadzieję, że faktycznie jest tam coś oprócz rur...

Chodźcie! Coś znalazłem!

Wygląda jak stary tunel.

Tajemne przejście!

481

WUJEK SKNERUS
i polowanie
na monetę

Mój ukochany cencie! Mój jedyny, wspaniały, niezastąpiony sensie życia!

Żałuję, że przerywam tę uroczą scenkę, ale...

Ale co?

Mamy tu nauczyciela ze szkolną wycieczką! Chciałby, żeby pan poprowadził na żywo lekcję biznesu!

Naprawdę? Niech wejdą! Zawsze chętnie podzielę się okruchami wiedzy z młodymi latoroślami!

I tak...

Czemu się śmiejesz?

Cha! Cha! Cha! Che! Che! Mam łaskotki!

Dlaczego sam pan się nie przeszuka! Był pan z monetą długo sam na sam!

Hm...

Sugeruje pan, że jestem szaleńcem? Okej! Sam się przeszukam!

No i co? Ja też jej nie mam! Nie wiem, kto ją ukradł! W każdym razie nie zdążył oddalić się z budynku!

Straż! Przeczesać skarbiec z góry na dół!

No i co?

Tu też nic nie ma!

490

Musicie pomóc mi ją odnaleźć! Lecz uprzedzam – ta misja jest niebezpieczna!

Niebezpieczna?

Profesor Enigma mi za to zapłaci... dokąd to, Donaldzie?

Zapomniałem, że mam sprawę niecierpiącą zwłoki... moje lekcje pianina!

Przecież ty nie masz pianina!

No to sobie kupię! Tu chodzi o życie!

Jeśli pomożesz mi odnaleźć monetę, hojnie ci zapłacę!

Hojnie? Dobra... idziemy!

Hurra!

Niech żyje!

I tak, nieco później...

Dotarliśmy! Oto czerwony wodospad!

493

ŁAPS

Uff! O mały włos! I nadal mam monetę!

Za chwilę staremu kuternodze nie będzie do śmiechu! Zrobimy mu piorunujący pokaz powagi! Co nie, Truteczko?

TURU RURU RUK

BUUM

Tylko burzy nam brakowało! Ale może szczęśliwa moneta mnie ocali!

KRAACH

Ghy!

BUUUM

Ja przejmuję ster, wujku Donaldzie! Ty pomóż wujkowi Sknerusowi!

Okej! Wesprę go słowem zachęty!

Zachęty? Musisz opuścić się po schodkach i wciągnąć go na górę!

Wciągnąć na górę? Oj!

494

ŁUBUDU

Obawiam się, że Enigma znowu chce cię nabrać!

Pewnie masz rację!

Jechać czy nie jechać? Oto jest pytanie! Nie mogę zostać bez dziesięciocentówki!

Kieruj się w stronę Bananowej Wyspy!

Później...

Widać wyspę! Trzeba znaleźć otwartą przestrzeń na lądowisko!

Szaleństwo! Jak możemy znaleźć malutką monetę na takiej przestrzeni?

Przestań mękolić i szukaj!

I tak...

Patrzcie! W tej łódce... jest moneta!

Hura! Znaleźliśmy ją!

Che! Che! Lekki ruch palcem, i moneta Sknerusa wystrzeli... w górę!

Gejzer! Jego strumień wyrzuci pieniążek tam, gdzie go nie dosięgnę!

Uaktywnia się następny!

Co ty wyprawiasz?

Gonię moją ukochaną monetę!

Nadchodzę, numerze jeden!

Ghy! Nie dam rady go złapać!

Sknerus ma problemy, ale nie tylko on...

Go... goryl!

Jej! Wygląda na to, że ma poważne... zamiary!

Nie uda mu się wyrwać kapelusza!

Wystarczy odrobina sprytu! Daj mi twoją czapkę!

Daje twoją czapkę gorylowi!

Małpy uwielbiają naśladowanie! Wujek Sknerus liczy na to, że go będzie małpował!

Hura! Działa!

Tak, ale pieniążek nadal leży na jego głowie!

Wracaj!

Muszę coś powiedzieć wujkowi Sknerusowi!

A może by tak... ple... ple...

Okej! Spróbuję!

Jest mi niezmiernie miło cię poznać, szpetny człekokształtny!

?

Pięć kaczorów może wreszcie odetchnąć z ulgą!

Do widzenia, pitekantropie!

Grr!

Che! Che! Mój numer jeden pomógł mi wyrwać się ze szponów małpiszona!

Kwak! Jest fałszywy!

Ale podobny!

Dosyć! Enigma już się nie będzie ze mnie nabijał!

DZYYYŃ

Halo! Tu mówi profesor Enigma! Jeśli chcecie waszą monetę, lećcie do Zatoki Rekinów!

Zatoki Rekinów?

Chyba nie zamierzasz tam naprawdę lecieć?

503

504

Mam ją! A teraz jazda!

Ten handlarz starzyzną ucieka z twoim numerem jeden! Kiedy wyrzucałeś szkatułkę, usłyszałem „klink"!

Hę?

Enigma sprawił, że cent był niewidzialny w środku szkatułki! Wiedział, że w końcu wściekły ją wyrzucisz!

Ten handlarz starzyzną musi być przebranym Enigmą!

Wypad, kierowco! Ja prowadzę!

Che! Che! Sknerus zrozumiał sztuczkę! Goni mnie!

Łobuzie! Zmiażdżę cię! Zrobię ci...

508

KONIEC

512